CARTAS PARA O MEU AMOR

CARTAS PARA O MEU AMOR

ORGANIZAÇÃO LURA EDITORIAL

Copyright © 2024 por Lura Editorial.
Todos os direitos reservados.

Gerente Editorial
Roger Conovalov

Coordenador Editorial
Stéfano Stella

Diagramação
André Barbosa

Capa
Allora Artes

Revisão
Gabriela Peres

Preparação
Aline Assone Conovalov
Débora B. Barbosa

DADOS INTERNACIONAIS DE CATALOGAÇÃO NA PUBLICAÇÃO (CIP)
(Câmara Brasileira do Livro, SP, Brasil)

Cartas para o meu amor / organização Lura Editorial. -- 1. ed. -- São Caetano do Sul, SP : Lura Editorial, 2024.
192 p.

Vários autores
ISBN 978-65-5478-110-7

1. Antologia 2. Cartas brasileiras I. Editorial, Lura.

CDD: B869.6

---

1. Cartas : Antologia : Literatura brasileira
869.108

[2024]
Lura Editorial
Rua Manoel Coelho, 500, sala 710, Centro
09510-111 - São Paulo - SP - Brasil
www.luraeditorial.com.br

Cartas de amor são escritas não para dar notícias, não para contar nada, mas para que mãos separadas se toquem ao tocarem a mesma folha de papel.

Rubem Alves

Apresentação

Em *Cartas Para o Meu Amor*, mergulhamos nas profundezas do coração humano por meio de cartas que transcendem o tempo e o espaço. Este livro encantador é uma coleção íntima e apaixonada de correspondências, revelando as complexidades do amor em suas mais diversas formas.

Cada página é uma viagem emocional, um testemunho da beleza e da vulnerabilidade que acompanham a expressão sincera do afeto. As cartas, cuidadosamente selecionadas, oferecem um olhar curioso à vida de personagens apaixonados, suas alegrias e desafios.

A variedade de estilos de escrita reflete a riqueza da linguagem do amor. Desde a poesia apaixonada até a prosa delicada, cada autor pinta um quadro único de suas emoções, criando um mosaico de sentimentos universais.

Cartas Para o Meu Amor não é apenas uma coletânea de correspondências, mas uma homenagem à capacidade humana de se conectar por meio da escrita. Este livro convida os leitores a refletirem sobre suas próprias experiências amorosas, transformando o ato de escrever cartas em uma arte eterna.

Sumário

AO MEU AMOR 17
Adelmo Barboza

BRUNO, MEU AMOR 18
Adriana Camarão

MAURÍCIO, MEU AMOR 20
Alba Mirindiba

OS SINAIS DO TEMPO 22
Alessandra Fróes Veja

DOCE AMADA 24
Alexandre Custódio de Souza

SUA PARA SEMPRE:
UMA CARTA DE AMOR PARA VOCÊ 26
Alice Grey

VOCÊ É DOCE 28
Adrieny Nunes

CAFÉ DA MANHÃ 29
Aline Paixão

CARTA EM VERSO (para Ane) 30
Altamir Costa

MEU AMOR 32
Ana Beatriz Carvalho

ÚNICO AMOR 34
Ana Brandão

QUERIDAS FILHOCAS 36
Ana Cordeiro

MEMÓRIAS DO FUTURO 38
Ana Paula Cordeiro

AMIZADE NÃO É UM SENTIMENTO, SÃO VÁRIOS 40
Andréia Grava

AMAR COMO FILHA – AFILHADA 42
Andréia Grava

UM AMOR ESTRATOSFÉRICO! 44
Andreia Moore

MEU EROS 46
Anna Rodrigues

DOS AMORES QUE EU INVENTEI: O MEU 48
Beatriz Paranhos

AMOR E RESPEITO ANDAM JUNTOS 50
Beatriz Maria Luchese Peruffo

TIAGO 52
Beatriz Tajima

CARTA PARA UMA PAIXÃO QUE SE TRANSFORMOU 54
Beattriz Telles

CARTA AO MEU AMOR 56
Betânia Martins

PARA UM AMOR QUE PARTIU 58
Bia Gregório

SABOR DE MORANGO 60
Caio Peroni

TERTÚLIA 62
Carla de Faria

O QUE EU NUNCA TE FALEI 64
Carla Mangueira

A PRIMEIRA CARTA DE NÓS! 66
Cecília Souza

POSTA RESTANTE 68
Chris Amaral

UMA CARTA PARA SEU PAI 70
Clara Marcília

DESALINHO 72
Cláudia Almeida

MARIA ANTÔNIA 74
Cleobery Braga

CORREIO DE FRANÇA 76
Dayse Lourenço

MEU AMOR PROIBIDO 78
Deeznara Laarc

TUDO A VER 80
Denise Vilardo

CHUCHUZITA 82
Dionísio

AO MEU AMADO 84
Elisangela Dias Saboia

CARTA À MINHA MÃE 86
Estela Maria de Oliveira

MELHOR ESCOLHA 88
Fê Kfuri

MILAGRE DE NATAL 90
Fê Kfuri

PESSOAS VALEM MAIS QUE DIAMANTES 92
Fê Kfuri

CARTA PARA LEONOR 94
Flavia Pascoutto

PARA MEU AMOR E PARCEIRO DE VIDA 96
Flor do Sul

O AMOR QUE NÃO VIVI 98
Francis Braga

FLASHBACKS 100
Gabi Bouvier

AMOR ALÉM DO TEMPO 102
Gabriela Salgarello

QUANDO TUDO COMEÇOU 104
Melo, Hicléia

DOIS AMORES 106
Hilda Chiquetti Baumann

CARTA AO MEU PAI 108
Isabel Fontes

VÍCIO 110
Isabelle L. C.

UM AMOR NO TEMPO 112
Joice França

**DECLARAÇÃO INUSITADA
DE AMOR POR VOCÊ** 114
Joice Malta

QUERIDO BOSCO 116
Josie Silva

**UMA CARTA PARA
UM FILHO MUITO ESPECIAL** 120
Jucimara Vergopolam

MUDANÇAS 122
Kaique Fortes

AMOR INVENTADO 124
Karen Moraes

CARTA DE ALFORRIA PARA A FELICIDADE 126
Karina Zeferino

ESTRANHAMENTE 130
Karina Zeferino

PEQUENA IMORTAL 132
Kiirina

PARA AQUELA PESSOA ESPECIAL 134
Lee Soutto

PRÍNCIPE AZUL 136
Letícia Benny

CARTA ABERTA AO LU PELOS NOSSOS 11 ANOS DE CASADOS! 138
Li Ambrosio

CARTA AOS MEUS FILHOS, BENÍCIO E MIGUEL 140
Li Ambrosio

DEPOIS DO ADEUS 142
Aline Alvina da Silva

A MULHER QUE DEIXEI PARA TRÁS 144
Lis Gomes

UMA SINFONIA DE BELIMBELEZAS PARA TE OFERECER 146
Lívila Maciel

PARTE DE TI 148
Lolita Garrido

RIO DE JANEIRO, MADRUGADA DE DOMINGO, MARÇO DISTANTE 150
Maria Braga Canaan

MEU AMADO JOÃO 152
Maria de Fátima Fontenele Lopes

A VOCÊ, VIDA DA MINHA VIDA 154
Maurício da Silva Lucas

**AMOR INCONDICIONAL:
UMA CARTA PARA MEUS FILHOS** 156
Mel Moscoso

**AUSÊNCIA AMOROSA,
MINHA AVÓ EM MEU CORAÇÃO** 158
Mel Moscoso

CARTA PARA O MEU AMOR-AMIGO 160
Naiana Pereira de Freitas

NOSSA MATEMÁTICA DO AMOR 162
Natalia Dozza

PREZADO "TI" 164
Neusa Amaral

ENFIM... FOI O FIM 166
Suzane Lindoso

**CARTA DE AMOR,
DA INQUIETAÇÃO AO PARADOXO** 168
Pandora Sánchez

PARA O MEU BEBÊ ARCO-ÍRIS 170
Paula de León Gobbi

QUERIDO SAGITARIANO 172
Rafa Coelho

**TALVEZ VOCÊ NEM ABRA,
MAS GOSTARIA QUE SOUBESSE** 174
Rodrigo Page

BACK TO 505 176
Samantha

AS MALTRAÇADAS LINHAS 178
Solange Carneiro

O MEU AMOR, QUE O TEMPO NÃO LEVOU 182
Terezinha de Jesus Ferreira

QUERIDO FELIPE 184
Vera Lucia Moreira Silva

A CARTA QUE EU QUERIA RECEBER 186
Victória Braga

CARTA SOBRE A MINHA SAUDADE 188
Wanda ROP

AO MEU AMOR

Adelmo Barboza

Macuco, 7 de junho de 1935

Ao meu amor,

Denair, eu não penso nessas coisas, não sou tão ignorante assim também; penso que não se deve acreditar em tudo o que os outros dizem, e que eu não me julgo tão ingrato assim conforme você pensa. Eu não posso nunca esquecer de ti, vivo com meu pensar preocupado só em ti, vivo despercebido de tudo neste mundo, só não posso me esquecer de teu sincero amor.

Só você veio neste mundo para fazer meu coração pulsar de amor. Vivo somente pensando no teu único amor. Você me faz pensar que das tuas mãos escorre um pouco do meu pensamento e da minha vibração.

Para o meu amor, o teu coração é suscetível. O teu amor veio me afagar o coração, és a única a quem meu coração se dedicou; foi tu quem fez meu coração amar e lisonjear.

Nunca pensei em amar, sempre pensei em amar com consistência fanica, sempre amei com irrisão; hoje dedico-me ao teu amor, vivo a meditar, sempre a meditar, por ti vivo a pensar.

Ai, meu Deus! Quantas dores me traz a lembrança deste amor.

Seu eterno, Domingos.

BRUNO, MEU AMOR

Adriana Camarão

Belém-PA, 12 de junho de 2023

Bruno, meu amor,

    Me apaixonei por você pelo seu desejo intenso, pelo diálogo maduro, pela química do beijo e do toque da pele, pelo abraço gostoso, pela companhia boa, pela saudade diária, pelas histórias, pelas risadas e pelas brigas. Sim, pelas nossas brigas insanas, que nos provavam que não conseguíamos ficar longe um do outro.
    Na primeira vez que brigamos, já havia algo entre nós dois.
    Na primeira vez que nos beijamos, eu entendi que já era amor.
    Na primeira vez que nos tocamos, eu tive a certeza de que era algo muito forte para se deixar perder.
    E pensar que eu não queria me apaixonar por você...
    Era medo de não ser recíproco, era medo de tudo acabar tão rápido.
    Eram tantos anseios que não cabem em palavras aqui.
    Meses ao seu lado parecem anos.
    Toda a intensidade vivida torna nossa conexão única.
    Quero que os anos se tornem especiais o suficiente para

estarmos de mãos dadas e acreditando que, a cada dia mais, essa cumplicidade, respeito e carinho que temos um pelo outro merecem durar por muito tempo.

Se será para sempre? Eu não sei.

Mas saiba que quero que dure o suficiente para nos conhecermos cada vez mais e saber que, no futuro, vamos continuar nos conhecendo, nos amando e acreditando que o que temos é tão especial. Te amo!

Amo igual chocolate.
Com amor,
Adriana Camarão.

MAURÍCIO, MEU AMOR

Alba Mirindiba

Brasília, 10 de julho de 2023

Maurício, meu amor,

 Escrevo-lhe esta carta porque hoje, meio nostálgica, minha memória me levou até aquele dia 20/08/1989, quando você, de surpresa, me roubou um beijo. Ali começou a nossa história juntos. Você, tão romântico, atencioso e cuidadoso, logo me conquistou.
 Estrelinha, Carneirinha, Amor, eram seus "pronomes de tratamento" para comigo.
 Namoramos, noivamos e na primavera de 1991 nos casamos. Que dia feliz, testemunhado por nossos familiares e amigos!
 Já são quase 34 anos de história e quase 32 desde o nosso enlace. Crescemos juntos, amadurecemos a nossa relação, a qual foi alicerçada e construída sob os preceitos e orientação de Deus, que nos deu quatro bênçãos especiais: nossos filhos Isabella, Hugo, Pedro e Bernardo. E que família linda nós somos: o SEXTETO admirado por todos!
 Agora, nossos filhos já são adultos, e como foi bom partilhar com eles nosso amor, nossos valores e princípios! Eles se tornaram pessoas de bem e do bem.

Quantos passeios e jogos de tabuleiro; quantas sessões de cinema; quantos shows e idas ao circo; e quantas viagens fizemos, fazemos e ainda faremos juntos! Num piscar de olhos, nossos filhos, se Deus quiser, estarão casados e nós estaremos a brincar com nossos netos!

É, Maurício, é muito bom olhar para trás e ver nossa trajetória bem-sucedida enquanto família. Ah... é muito amor envolvido! Isso nos deixa felizes, com a sensação de dever cumprido e preparados para celebrar cada vitória, nossa e dos nossos filhos, que são nossas também.

Sou grata a Deus por tudo isso e sou grata a você também por ter construído e solidificado comigo essa história feliz.

Amo você eternamente!
Alba Mirindiba.

OS SINAIS DO TEMPO
Alessandra Fróes Veja

Bragança Paulista, 04 de julho de 2023

Meu amor,

Hoje pela manhã me deparei com algo inusitado: encontrei, escondido entre muitos outros, um fio de cabelo branco no topo da minha cabeça. Me senti um pouco preocupada, confesso, e decidi me analisar melhor. Encarei meus olhos, meu nariz, dei meu sorriso largo e, de fato, sou eu. Subi o olhar e percebi que minha testa parecia ter de ponta a ponta os vestígios de uma linha, que também é novidade.

Você me conhece, sabe que não sou vaidosa em excesso, mas gosto de me cuidar, afinal, ainda nem chegamos aos trinta. Será que foram as noites maldormidas? Ou será que foram nossas discussões pelos seus tênis espalhados pela casa? Ou melhor, será que foi meu coração preocupado toda vez que você pega a estrada?

Pode ser que seja isso... ou, talvez, tudo isso.

O tempo tem passado, meu amor, nos tornamos pais, somos adultos. Éramos apenas duas crianças sonhando com tudo isso e agora que aqui estamos, me encaro diante do espelho distraída com os sinais do tempo. Quanta bobagem, te peço perdão, meu lugar não é aqui. Meu lugar é entre as cobertas, onde posso esquentar meus pés nos seus e, juntos, admirarmos nossa filha dormir.

O tempo tem, sim, passado, tem nos tirado aos poucos os rostos de dezesseis anos; em contrapartida, ele nos trouxe muito.

Por isso, seguirei acreditando que você me achará linda apesar dos fios de cabelos brancos. Acreditando que rir e chorar com você será sempre a melhor maneira de ganhar linhas de expressão, e que noites maldormidas para cuidar da nossa filha serão lembranças preciosas da nossa dedicação.

Acabo de abandonar meu reflexo no espelho e estou indo me aconchegar na cama com vocês. Espero que o tempo entenda meu recado de que não quero me preocupar com ele, tão somente agradecer a ele. Enquanto vivermos, o tempo seguirá nos tirando um tanto, virão cada vez mais linhas de expressão e cabelos brancos... um lembrete diário de que nos levou muito, mas ainda assim, não nos levou de nós, e envelhecer juntos é nosso grande presente.

Com carinho, de sua esposa,
Alessandra.

DOCE AMADA

Alexandre Custódio de Souza

Casa Branca, 12 de junho de 2023

Thaíssa, meu amor!

Com estas palavras, pretendo revelar o mais puro dos sentimentos que tenho por ti, mas por mais que busque, não encontro palavras para expressar o que sinto. É um sentimento que queima e que preenche minha vida de vitalidade e entusiasmo, sentimento que evolui a cada instante que estou contigo.

Sentimento que chegou de mansinho e tomou conta da minha vida.

É o amor! Palavra pequena que só quem ama pode definir. É algo sublime que brota no interior do ser. Amor é um sentimento que só se consegue definir sentindo, amando alguém. E você é minha amada, minha amante, minha doce inspiração, é meu sonho lúcido que não quero que acabe.

Você, quando apareceu, foi como uma centelha a iluminar a escuridão. Você virou meu mundo de cabeça para baixo, mas colocou tudo no lugar. Você me conquistou e, desde então, minha alma é sua. Te amo demais e quero que esse sentimento dure a eternidade, pois é muito bom amar e ser amado.

Algumas pessoas passam a existência esperando por um amor, mas eu sou um homem privilegiado por Deus, pois te encontrei nesta vida e desejo apenas desfrutar dessa paixão.

Você transformou meus dias, me trouxe paz e doçura e, assim, voltei a ter alegria e o prazer de amar e, ainda, quero mais e mais descobrir a força desse amor que me arrebatou para o céu de seus braços.

Nossa história de amor tem paixão e muita vontade de estar junto, embora morássemos distantes, este empecilho jamais foi obstáculo para deter nosso amor.

Amo tudo em você, seus cabelos, seu sorriso, seus olhos e até suas doces manias, principalmente de chocolate, que aprendi a gostar também; aliás, que mania gostosa!

Por fim, nem todas estas palavras conseguem expressar o que sinto, mas elas vislumbram o paraíso que você me deu.

Amar é sentir um turbilhão de sentimentos e, dentro de mim, há um universo inteiro que se expande por causa de ti.

Te amo além do infinito!
Alexandre.

SUA PARA SEMPRE: UMA CARTA DE AMOR PARA VOCÊ

Alice Grey

Rio de Janeiro, 25 de janeiro de 2008

MEU AMOR,

Você fez um resgate e tanto, não foi? Pessoas assim merecem bonificação divina. Você me amou quando nem eu podia me amar. Você consertou o que eu não enxergava quebrado. Você assumiu um peso que não merecia. Eu sei, você vai discordar e neste momento está sacudindo a cabeça, negando. Foi duro, cruel e difícil, e você aguentou e aguenta até hoje. Que mulher de sorte eu sou, e que homem resiliente você é.

Quero te agradecer por ter me escolhido tantas vezes. Seguiu o caminho mais difícil e nunca largou a minha mão. Eu sou complicada, eu sei, e mesmo assim você não desiste de mim. Às vezes acho que sou egoísta e você merecia uma pessoa melhor do que eu, mas também não te deixo ir. Desculpa, tá? O amor faz essas coisas e, no fim, agradeço por seguirmos juntos. Será que faz algum sentido? Não sei, e prefiro nossos encontros e desencontros dentro da mesma atmosfera.

Ainda vou me perder muitas vezes para que você possa me encontrar. Que todas essas vezes você não se esqueça que te amo; como diz a letra daquela canção: "Por onde for, quero ser seu par".

Que fique registrado que, se existirem outras vidas, minha escolha será sempre você.

De todo meu coração,
Sua esposa, Mel.

VOCÊ É DOCE

Adrieny Nunes

    Um doce inspirado em você? Talvez um prato salgado faça mais sentido. Picante. Fiquei interessada em te definir doce. Do macro ao micro, você é incomum.
Reconhecer o quadro da sala como a minha cara. É meu. É pudim novo numa mesa de iniciante. Quando se aprende, serve sempre. Foi difícil fazer a primeira vez. Acertar a cobertura é quase um anúncio de jornal.
    Se você fosse manchete, seria gelatina: prática, fácil e gostosa. Preenche as lacunas, os vãos. Como quem despeja líquido e endurece, mas não fica rígido. Maleável, que se ajusta aos espaços. Conversa como quem preenche o vazio. Traz leveza e fluidez ao ambiente.
    Enquanto você é vento que passa pela sala, sou brisa, que vem suave, mas presente. Você é clara em neve. Batidas constantes. Frenéticas. Já eu sou maisena, que incrementa o leite. Ninguém percebe sua presença enquanto elas mudam tudo. A textura do doce é outra.
    Tanto uma quanto a outra intensifica tudo!

Com carinho!
Adrieny Nunes.

CAFÉ DA MANHÃ

Aline Paixão

Oi, Danoninho,

    Sinto falta da sua companhia e de estar abraçada contigo. Você fez com que eu me sentisse segura e tranquila como eu nunca estive com alguém. Adorava ouvir suas cantorias inesperadas, suas piadas bobas durante o dia e como você facilmente dizia sim para cada maluquice que eu inventava de fazer.
    Não importava o que fazíamos. Desde sentar num jardim, ver um filme, comprar uma peça de roupa ou apenas caminhar. Qualquer coisa com você era bom.
    Infelizmente, desde o início, o nosso tempo já tinha um fim determinado. Foi um tempo bem curtinho, mas que durou eternamente. E, mesmo começando já sabendo que teria esse fim, valeu a pena cada segundo e eu faria tudo de novo.
    Meu riso contigo foi dos mais felizes.
    Sei que passou pela porta em busca de sua felicidade, e por isso eu jamais o impediria de ir, pois, se tem algo que eu desejo profundamente, é que você seja feliz. E beija-flores são realmente encantadores.
    A porta estará aqui, sempre aberta para você, mas espero de coração que você consiga tudo o que você quiser nesta vida linda e que não precise voltar.

Com carinho,
Café.

CARTA EM VERSO (PARA ANE)
Altamir Costa

Não há uma noite que eu olhe para as estrelas do céu e não lamente as sombras da distância que se abateu sobre nós.

Não tive medo dos caminhos difíceis da vida, percorri todos, mas o tempo me alcançou no fim do percurso e temo que essas linhas não te alcancem.

Sempre quis te dizer tudo que aqui escrevi,
porém fui encoberto pelo medo que a incompreensão criou em mim, e nunca nada te disse.

Relembro dos planos que fiz no seio dos sonhos.
Imaginei que tudo poderia ter sido diferente,
mas a essa altura da vida, isso não mudou nada.

Talvez não seja tarde demais e você leia estas linhas.
Pode ser até que venha a concordar comigo,
ou se lamentar também pelo que não fizemos.

Nunca entendi por que te guardei para a eternidade.
Escrevi esta carta esperando te encontrar nas saudades
ou em algum dos lugares que poderíamos ter vivido.

Não quero ser abstrato, nem desejo parecer
que fomos meros figurantes na vida,
poderíamos ter sido mais do que um lago de silêncios.

Seja como for, quem sabe do outro lado aconteça um reencontro, e eu ou você estejamos à espera um do outro de braços abertos.

Altamir Costa.

MEU AMOR
Ana Beatriz Carvalho

Brasília, 05 de julho de 2023

Meu Amor,

    Escrevo esta carta pensando em ti, mirando teus olhos mansos, lembrando de tua honestidade que encanta, e emocionada com tua bondade permanente. Sempre festejo a tua existência preciosa.
    Não há distância entre nós. Os bons sentimentos nos aproximam, encurtando caminhos, estreitando pontes e diminuindo espaços.
    És único e por isso te admiro tanto.
    Hoje rememorei aquela bela viagem em que juntos apreciamos a diversidade dos povos, a multiplicidade dos ambientes, a variedade dos usos e costumes.
    Tudo novo! Muitos aprendizados! Lições a perder de vista...
    Mas houve uma situação em evidência que condensou valores, reflexões e impulsos internos para eu perceber a vida com mais generosidade. Tu foste responsável por essa percepção extraordinária.
    Talvez tu não te recordes, mas eu jamais me esquecerei.
    Estávamos fazendo o caminho de volta para o nosso doce lar. O calendário sinalizava que a rotina da vida nos convidava a assumir nossos destinos em Brasília.

Naquele dia, fomos dormir mais cedo, pois o taxista nos levaria ao aeroporto por volta das três da manhã.

Na euforia de ficar e de ir, de descansar e de seguir, recebemos a notícia de que o voo estava cancelado. Fomos dormir surpresos e conformados. Lembras?

A noite seguia seu curso normal quando, na madrugada, levantaste e te aprontaste. Não entendi o motivo e logo tu me explicaste que desceria para encontrar com o taxista contratado, pois ele viria nos buscar e merecia a retribuição por mover-se para nos atender.

Recordo-me que o teu semblante reluzia bondade, respeito e amabilidade. Quanta admiração senti, meu amor...

Querido, aquele nobre gesto ampliou as fronteiras dos meus sentimentos por ti. Viajei pelos roteiros da fraternidade, do reconhecimento dos esforços alheios, da reciprocidade nos compromissos firmados.

Penso que a humanidade se elevou com a luz que lançaste naquele episódio casual de uma viagem de férias memorável.

Tocaste profundamente o meu coração.

Sinceramente,
Ana Beatriz.

ÚNICO AMOR
Ana Brandão

Meu eterno amor...

Da janela, olho a lua com seu brilho cristalino e impecavelmente lindo e penso em ti...

Onde estarás e o que estarás fazendo nessa noite fresca, com essa brisa suave que brinca com meus longos cabelos castanhos? Meu coração palpita e sinto o cheiro do jasmim que floreia, esbanjando seu delicado perfume que sopra das pequenas florezinhas brancas. Sinto uma imensa saudade que faz doer minha alma ao recordar dos seus abraços aconchegantes e de seus beijos ardentes.

Respiro fundo o perfume do jasmim e fecho os olhos para lembrar com mais clareza do seu rosto emoldurado pelos cachinhos quase dourados dos seus cabelos claros, seu sorriso me eleva aos céus em desejos insanos de tocar esses lábios deliciosos e macios, essa língua quente e delicada que me faz tremer de desejos proibidos.

Você será sempre o meu único amor, mesmo que a distância nos separe para o resto de nossas vidas, será sempre o primeiro e último amor da minha vida. Lembro sempre desse corpo másculo, que me fazia suspirar e eternizar os momentos felizes que vivemos por tantos anos. O dia a dia e a rotina nunca foram empecilhos para não te desejar e te amar mais do que a mim mesma. Você é a razão do meu viver, cada dia que passa essa distância consome meus sentimentos.

Te quero aqui comigo, mas as circunstâncias não são favoráveis ao nosso eterno amor. Pois sei que me ama tanto quanto eu te amo. Nosso amor é digno de um romance escrito nas estrelas. Nossos olhares bastavam para sabermos o que queríamos e o quanto nos desejávamos, nem precisávamos de palavras para nos entendermos e matar nossos desejos em silêncio. Era tudo tão explícito e ao mesmo tempo havia uma ternura inexplicável em cada gesto, cada olhar e cada beijo. Porém, o tempo passou voando e de repente estamos separados por algumas circunstâncias infelizes, mas nosso amor permanecerá até o fim de um de nós, ou de nós dois. Porque te amar me faz viver e sonhar com tua volta, mesmo que por alguns instantes, em que nossos olhos se encontrarão e um sorriso tímido fará nosso amor gritar de novo em nossos corações.

Sempre tua, meu amor!
Ana Brandão.

QUERIDAS FILHOCAS

Ana Cordeiro

Ceará-Mirim, 09 de julho de 2023

Queridas Filhocas,

 As palavras nunca serão suficientes para externar a profundidade do meu amor por vocês. Ouso dizer que, antes das vossas chegadas, amei e vivi pela metade, pois sempre senti que era incompleta, necessitando de algo que estava além da minha compreensão. Mensurar a intensidade do meu amor por vocês é como medir a imensidão do mar e do infinito, ou seja, não pode ser explicado nem definido, pois é algo que vai além do que se possa ver ou tocar!

 Vocês são a renovação da minha força e do meu ânimo para continuar com as lutas diárias na ânsia de oferecer-vos melhores dias. Saibam que, a cada realização sua, eu me realizarei nela, por menor que seja. Cada tropeço que vos fazem cair, eu estou caindo junto, cada pedra que precisam contornar, contornarei com vocês.

 Enquanto eu respirar, cuidarei para que vocês se tornem fortes para enfrentar os vendavais do tempo, que às vezes tendem a nos devastar. Lembrem-se sempre de que, independentemente da idade, tamanho, ou qualquer outro adjetivo, estarei sempre com as mãos voltadas para guiá-las rumo ao futuro.

Nos momentos em que fui chata demais, ranzinza, intransigente, foi pensando no bem de vocês. Saibam que todas as vezes em que errei foi na ânsia de querer o melhor para vocês, que são o meu "bem maior que as estrelas..."

Com amor,
Mamãe, Ana Cordeiro.

MEMÓRIAS DO FUTURO

Ana Paula Cordeiro

Valparaíso de Goiás, 10 de julho de 2023

Memórias do Futuro,

Como vai você? Eu estou bem, e desejo que aí, no futuro, você esteja desfrutando do que há de mais bonito. Eu precisava escrever uma carta para um amor, e este não seria outro que não você, meu amor maior, completo, transcendente. Minha querida, quero agradecer a você por fazer de mim uma pessoa mais forte, corajosa e feliz todos os dias; por segurar minha mão e levar-me de volta à minha própria infância através dos seus olhos, de sua imaginação, do seu cantar; do seu riso alegre de criança e dos seus sonhos. Nossos sonhos de infância, tanto os que sonhamos dormindo como os que vislumbramos acordados, são expressões genuínas de nossa alma, creio, imaculados pelo mundo de cobranças e obrigações da vida adulta. Por isso, filha, onde você estiver e aonde for, segure na mão do seu eu-criança e seja guiada para o que é correto e pleno. Nem sempre as coisas são simples ou fáceis de resolver, mas quando criança, você percebe muito melhor as respostas simples.

Aqui, na altura dos seus sete anos, tento acompanhá-la na descoberta do mundo e daquilo que temos de mais precioso na vida: a saúde e a família que nos ama e acolhe; as amizades, o respeito, a alegria nas coisas comuns, o espanto perante as maravilhas e os desencantos às vezes causados ao ouvir um "não!". Quando crianças não sabemos, mas os "nãos" são essenciais! Principalmente aqueles que precisamos dizer.

Meu amor, espero que guarde consigo lindas memórias de infância. De quando vê o mar, seus olhos e sorriso são só horizontes: abertos, infinitos. Se preciso, recorde-se do quanto gosta de conhecer, fazer amigos, dançar e andar descalça. Lembre-se de que aqui, nessa época, você ama a natureza e quer conhecer muitos lugares do mundo. Sonha ser escritora, médica, bióloga, veterinária, artista e dirigir uma escavadeira. Não esqueça que sua cor favorita é "arco-íris" (*and I see your true colors shining...*). Meu anjo, não esqueça a música. Seus desejos e sonhos são maravilhosos e muitos, viva-os.

Abraços transbordantes de amor.
De sua mãe,
Ana Paula.

AMIZADE NÃO É UM SENTIMENTO, SÃO VÁRIOS

Andréia Grava

Planeta Terra, Brasil, setembro de 2022

Ilustríssima Beth! (*in memoriam*)

Fiquei triste quando soube, através da sua irmã, sobre tua morte. Liguei na sua casa para consultá-la sobre uma nova assessoria ao meu projeto de doutorado e soube que tinha partido.

Num primeiro momento, pensei que tivesse sido levada pela Covid-19, afinal, ainda estávamos na pandemia; no entanto, fui informada que não, suas doenças prévias que tanto sacrificaram seu corpo nesta existência tinham se agravado, libertando sua alma de tanta dor.

Não tive oportunidade de me despedir, então resolvi escrever para poder ler e reler de forma que essas palavras e sentimentos possam chegar até você de alguma forma.

Nos conhecemos em 2018 e você foi peça fundamental para que minha pesquisa de mestrado se adequasse às exigências acadêmicas. Seu planejamento, organização, as incansáveis revisões, dicas e os bate-papos foram decisivos para o sucesso do meu trabalho.

Mas sua contribuição foi muito além do trabalho acadêmico, conhecê-la foi um presente do universo, pois sua excentricidade agregou muito às minhas experiências.

Logo no primeiro encontro me surpreendi pela mistura altamente equilibrada de ambiente profissional e místico no mesmo espaço, sem contar seus animais de estimação, que integravam perfeitamente esse cenário (gatos e papagaio). Somado a isso, seu hábito quase ininterrupto de fumar, o que fazia o cinzeiro estar sempre cheio. Ao ver o cigarro aceso, o cinzeiro, os gatos, as mandalas, temi entrar numa crise alérgica, afinal, tenho asma, mas isso não aconteceu em nenhuma das vezes em que lá estive. Como pode? Seria a energia presente? Não importa, o que vale é que foi assim e foi ótimo!

Nossa sintonia foi intensa, verdadeira, e quando a revisão da pesquisa se finalizou, você me convidou para um café com bolo. Pensei que era o modo perfeito para selarmos, com mais afeto, nossa relação.

E assim a vida segue, com pessoas de luz que cruzam nosso caminho, que passam por nossa vida, que pegam em nossas mãos ao longo de jornadas decisivas. Você foi, indiscutivelmente, uma dessas pessoas.

Espero que esteja bem, acolhida, e que siga o caminho da Paz, do Bem e da Evolução.

Energias positivas e sorrisos gratos,

A. G.

AMAR COMO FILHA – AFILHADA

Andréia Grava

São Caetano do Sul, 28 de janeiro de 2022

Querida Ana,

 Estou tão orgulhosa de você. Da sua coragem, determinação e sua abertura para viver novas experiências. Quero te desejar toda sorte e proteção do mundo nessa nova fase, em seu primeiro intercâmbio.
 Desejo também que conheça pessoas incríveis, que visite lugares extraordinários e que viva momentos especiais que marquem sua vida para sempre.
 Você fará muita falta, muita mesmo, mas estou feliz em saber que está realizando mais um sonho, amadurecendo e construindo uma história linda de vida.
 Promete que me enviará notícias com frequência? Não encherei seu celular com mensagens todos os dias, é claro! Mas de tempos em tempos gostaria de receber notícias e fotos. E se você esquecer de enviar porque estará muito ocupada e envolvida com sua nova rotina, não se preocupe, pedirei notícias e, quando puder, você me responde e vamos conversando.

Tenho certeza de que saberá fazer boas escolhas e tomar boas decisões, pois certamente muitas oportunidades se apresentarão a você; algumas boas, outras nem tanto, faz parte. Mantenha o pensamento positivo e lembre-se sempre de suas raízes, de sua educação e de sua essência, desse jeito certamente fará as melhores escolhas.

Sou feliz por fazer parte da sua vida e muito honrada em ser sua madrinha.

Te amo, minha afilhada preferida!

Conte comigo, hoje e sempre.

Beijos já cheios de saudades,

Madrinha.

UM AMOR ESTRATOSFÉRICO!

Andreia Moore

Rio de Janeiro, 27 de junho de 2023

Querido pai, como tem passado?

    Ontem eu assisti a um filme que me fez lembrar tanto de você. Não que eu precise disso para rever nossas memórias, mas algo de concreto naquela narrativa me trouxe até aqui.
    Era um filme sobre uma missão espacial da NASA, com tripulantes destinados a salvar a espécie humana na Terra. E você deve estar se questionando: "Por que pensou em mim? Fui astronauta, por acaso?". Risos.
    Não, papai, não foi, mas hoje você mora com as estrelas e, no filme, uma das cenas mais bonitas é quando a nave espacial atravessa a atmosfera e fica orbitando no espaço entre as luzes brilhantes e quase ofuscantes das estrelas. Eu queria saber se aí em cima é bonito assim?!
    No filme, o pai da protagonista, que depois vem a se tornar uma cientista mundialmente conhecida, vai embora para essa missão quando ela tinha apenas nove anos, assim como você e eu. E é engraçado hoje, eu com quarenta e três, estar te escrevendo esta carta. No filme, papai, durante toda a missão interestelar, ela e o irmão mandam vídeos contando sobre

suas vidas e conquistas, mas ele não pode responder, apenas recebe, vê e guarda em seu coração aquelas mensagens.

Curioso, porque isso me parece muito quando eu faço as minhas orações pensando em você. Nunca recebo uma resposta, mas tenho a sensação de que você sabe de tudo! E de que, de alguma forma, controla as coisas por aqui. Se puder, apenas hoje, responda, papai.

Me conte como são as estrelas de verdade!

Beijos,
Andreia.

MEU EROS
Anna Rodrigues

Querido Eros,

Nunca fui muito boa em falar sobre os meus sentimentos e emoções. Sempre tive medo de não conseguir me expressar direito, deixando nas entrelinhas uma pequena falha de comunicação. Daí a necessidade de escrever esta carta de amor para você. Me sinto um pouco ridícula, já que nunca escrevi uma carta de amor, mas como dizia Fernando Pessoa: "Todas as cartas de amor são ridículas, não seriam cartas de amor se não fossem ridículas", não é?

Eu sei que sou intensa demais, confusa demais, louca demais, desastrada demais, e que na maioria das vezes não me faço compreender. Mas é como se duas pessoas brigassem para coexistir dentro de mim. Tudo o que sinto é tão intenso! O ar que respiro, a brisa que toca o meu rosto, o arrepio na pele, tudo é superdimensionado, mas isso só acontece porque eu te amo... eu te amo, eu te amo! Eu preciso, isso é fato, sucumbir à pressão desse amor entrando pela minha pele, me rasgando inteira, mergulhando no meu sangue, fluindo até meu coração e batendo forte, descompassadamente.

Quando eu te vejo, surge dentro de mim um desejo animal de me impor de forma possessiva, porém não aquela imposição agressiva e violenta, mas passional, daquelas que deixam claro a quem você pertence, marcando o meu território, porque você é meu. Sou emocional e me deixo levar pelas paixões. Fazer o quê? Você não foi o meu primeiro, mas com certeza foi o meu primeiro orgasmo, a minha primeira tempestade, a minha única obsessão, minha alma gêmea, a que eu tive a sorte de encontrar ainda jovem.

Graças a você, minha alma é repleta de vida, e eu sinto tanto desejo, tanto ardor que me afogo todos os dias. Confesso que não há nada melhor do que amar alguém que te liberta das regras do mundo, deste mundo frio e impessoal, sem calor, sem empatia. Você me faz querer mais, me impulsiona a buscar constantemente dentro de mim aquela centelha, uma pequena partícula que causa uma imensa combustão, queimando tudo em volta, mas sem destruir; ao contrário, torna tudo mais bonito, intenso e simplesmente verdadeiro.

Não quero finalizar esta carta, meu Eros, mas preciso. No entanto, quero encerrar dizendo que você é tudo... é a minha conexão intensa comigo mesma e com o mundo e, sem você, eu não sou nada.

Sua Psiquê.

DOS AMORES QUE EU INVENTEI: O MEU
Beatriz Paranhos

De dentro de mim, no eu de agora.

Querido alguém que me faz querer incendiar,

Quem é você que me arde inteira e não consigo enxergar? Será que sou eu esse alguém? Ou será o vazio de um desejo existente em mim? O pior de tudo é que, no fim das contas, eu não sei quem é você. Foram tantos e, ao mesmo tempo, nenhum. Tive tantos amores que os meus olhos não viram passar.

Será que mentir para a própria mente assusta ou acalma? Quem vai alimentar o meu desejo senão eu? Será que ao inventar... me amo demais ou me perdi nos próprios amores que criei e não consigo me reinventar em forma de amor por sentir demais? Sabe o que é pior, é sentir tanto e saber que só o vazio seria capaz de significar. Decifro-me, agora, e não quero sair daqui. Quando que eu deixei de amar?

Talvez eu até saiba o que é o amor, mas não tenha encontrado ainda o que ele me faz achar. Perco-me em mim, perco-me no que inventei, perco-me nas palavras, perco-me em tudo! Sinto! Sinto absurdamente que tenho vontade de devorar cada poesia que os meus olhos não podem ver, mas gostariam, por inventar bem, inventar demais e inventar um espelho para que possa ser, me ver e me saborear. Será a carne? Será a alma? O que veio com defeito? Amo o inexistente. Amo amar. E detesto saber que amo amar.

Amor, espero um dia te sentir ao me olhar no espelho que eu comprei na loja e coloquei no meu quarto e, antes disso, espero virar esse espelho contra a parede para que eu possa sentir e perceber esse reflexo bater em mim. Quem sabe um dia o amor? Quem sabe inventar apenas o que os meus olhos um dia podem ver? Será possível enxergar o amor? Será, ao olhar para mim, algum dia.

Desejando o amor e os encontros proporcionados por ele;

Eu, Beatriz Paranhos
(que talvez seja esse alguém que me incendeia.)

AMOR E RESPEITO ANDAM JUNTOS

Beatriz Maria Luchese Peruffo

Porto – Portugal, 27 de junho de 2023

Oi, Doady, meu amorzão!

Acordei em Portugal, onde estou cursando o mestrado e a saudade bate forte no meu peito.

Nunca ficamos distantes um do outro por tanto tempo.

Sinto falta do teu ombro, cheiro, beijo e do teu amor.

Pensei no tempo...

Tenho mais tempo de vida contigo do que sozinha. Eu tinha 17 e tu 23 anos quando nos conhecemos. Conversamos quase todos os dias, por telefone, durante um mês, até que me convidaste para irmos à missa, na Igreja de Santo Antônio e, depois, jantar numa pizzaria.

Durante a missa colocaste tua mão no meu ombro, me abraçando. Nossos olhares se cruzaram com um sorriso. Nessa mesma Igreja nos casamos três anos depois. Era 1986. Meu vestido, típico dos anos 1980, princesa, mangas bufantes, era enorme. Unimos nossas famílias.

Nasceu a Gabriela, primeira neta, sobrinha e afilhada dos dois lados, em 1990, quando tive pré-eclâmpsia, eu e nossa nenenzinha quase morremos. Mas, como de quase ninguém morre, estamos muito vivas. Tive depressão pós-parto. Tua presença ativa ao nosso lado todos os dias me incentivou a superar.

Em 1999, após muita expectativa, nasceu a maninha Débora.

Nossas filhas realmente são frutos do amor. Esperadas e amadas, mesmo antes de serem concebidas.

Resultado? Além de irmãs, são amigas. Mulheres fortes, independentes, que sabem o que querem da vida. Amam e são amadas.

Tivemos algumas tristezas, doenças, raras discussões e muitos momentos de felicidade.

Se sou feliz? Sim, muito!

Aprendemos que o respeito e o amor andam juntos, de mãos dadas.

Estou contando os dias para a chegada de vocês aqui comigo.

Por alguns dias, reuniremos a família na Itália, onde nossa pequena mora.

Te espero, com muitas saudades.

Te amo!
Beijos,
Beatriz.

TIAGO

Beatriz Tajima

Ilha da Magia, 06 de julho de 2023

Tiago,

A felicidade acontece. Não discuto com o destino, mas vou ficar feliz todos os dias que pensar em você. Quando você atravessar a minha lembrança com a sua camiseta do Slipknot e os olhos mais atentos da multidão. Os olhos de mar e o sorriso mais bonito que vi naquele forró na Lagoa em 2023. Eu te amei desde a nossa primeira dança. Eu te amo desde a nossa primeira risada e beijo roubado. Não sei o que faremos com toda essa loucura, mas ficarei feliz todas as vezes que pensar em você. Porque você me faz querer dançar na chuva e acreditar que o amor vem depois, porque é o seu nome que escuto quando o mar conversa comigo, e sussurra entre as ondas as respostas para perguntas que lancei como anzóis no horizonte. Feito um barco ancorado em mar aberto, meu corpo parece flutuar dentro da minha noite mais escura. Mas nada disso importa quando tudo o que vejo é a luz dos seus olhos. Olhos estrelados, que revelam a imensidão do céu e a pintura de um amor desconhecido como o mar.

Atravessei dias tempestuosos sozinha. Vestígios serão apagados rapidamente, assim como os nossos passos na areia da solidão. A vida é breve, mas não será em vão se o amor não for esquecido. Você me lembra um sonho que eu nunca vivi com olhos abertos. Quando reencontrar esta carta, se estivermos distantes, não se esqueça, nem por um instante, de que eu amei você por inteiro. Um instante pode ser um café ou uma vida inteira. Quando ler esta carta, eu te amo para sempre. Obrigada por escutar a sombra e a poesia que habitam a minha casa assombrada na colina. Se for com você, eu aceito os riscos e as nuvens cinzentas. Te guardo com um sorriso porque podemos desaguar sem medo, porque tenho certeza de que você estará lá para me abraçar quando a tempestade passar. Vai acontecer. A vida exige coragem para costurar os pontos, mas, apesar das cicatrizes, depois de todo o ponto final existe um "era uma vez"... porque eu amo você, mas, por favor, vista uma camiseta quando for aparecer assim, de repente, nos meus pensamentos.

Com todo o meu amor,
Bia.

CARTA PARA UMA PAIXÃO QUE SE TRANSFORMOU

Beattriz Telles

Rio de Janeiro, 13 de julho de 2023

Querido Nicholas,

Não sei dizer ao certo quando me apaixonei por você, ou o motivo. Só sei que de repente me vi pensando em você o dia inteiro. A paixão que eu sentia era até um pouco obsessiva, confesso. Eu sentia a necessidade constante de te ver, de falar com você. Se passávamos uma tarde juntos, era o suficiente para uma semana de saudade.

Um dia, descobri que você nunca me veria como mais do que uma amiga, pois seu coração já era ocupado por outro alguém. Isso me entristeceu. Mas eu não quis me afastar, muito pelo contrário. O que eu sentia era tão forte que só me impelia para mais perto. Se o afeto que você poderia me dar era o de um amigo, eu me agarraria a ele e seria a sua melhor amiga.

Hoje posso dizer que a paixão se transformou em amor. Eu te amo, Nicholas. Acho que por isso senti vontade de escrever esta carta. Nunca consegui te dizer isso em voz alta, nem sei por que razão. Amigos também se amam, né? E eu amo tanto você! Amo sua risada, seu abraço apertado que me faz esquecer que existe um mundo fora dele, seus conselhos, o fato de você acreditar mais em mim do que eu mesma.

Sinto ciúmes de você, sabia? Te vejo rindo com outras pessoas e penso que um dia vai descobrir que existe alguém mais divertido, com quem você também possa compartilhar piadas internas. É medo de te perder. Sabe aqueles globos de neve com paisagens dentro? São lindos, mas frágeis. Derrube-os no chão e toda a magia se esvai, quebrada em mil pedacinhos. É meio paradoxal, porque acredito na força da nossa amizade, mas ao mesmo tempo sinto esse temor, achando que ela pode se quebrar e ser destruída, tal qual um globo de neve que cai.

Luto todos os dias contra esse sentimento. No fundo, sei que é apenas minha insegurança falando mais alto, porque seu olhar me mostra constantemente que o meu espaço no seu coração é mais do que garantido.

Obrigada por estar na minha vida, meu bem, e por me permitir estar na sua. Minha existência neste mundo é infinitamente mais feliz por sua causa.

Com todo o amor,
Sofia.

CARTA AO MEU AMOR

Betânia Martins

São Luís, 13 de dezembro de 2007

Olá, meu amado Zeca.

Saudades.

Por ocasião do Natal, sempre as pessoas escrevem mensagens desejando felicidade, então tive que escrever a você. Sinto ainda doces lembranças do seu carinho e nunca vou esquecer o bem que é para mim. Espero ainda fazer parte do seu coração.

Desde a primeira mensagem, aprendi a esperar para ler o que você me enviava, iniciando com "Olá, doce e meiga Beth".

Então, resolvi escrever pela última vez para agradecer, pois sempre terei alguma coisa a dizer sobre você:

Suas palavras me inspiraram a escrever belos poemas.

Falei que imprimia as mensagens e que de nada serviria quando eu morresse, talvez para levar no caixão, você respondeu que eu nunca morreria, pois eu era eterna.

Para conhecer o amor, tive que gostar de alguém que não conheço. Na distância, aprendi que não precisava estar perto. Senti os gostos e desventuras do que poderia ser amor.

Conheci a saudade, mesmo nunca tendo havido uma despedida, nem um encontro, uma chegada. Esperei por beijos e palavras com a ansiedade de menina. Aguardei por você mesmo sabendo que nunca chegaria. Sofri com essa ausência, mas fui feliz. Conheci a sensação de ser amada e isso me bastou por tanto tempo. Construí uma autoestima e aprendi a amar um estranho, mesmo desconhecendo suas falhas, mas imaginando-as menores e facilmente aceitáveis. Aprendi a amar.

E hoje escrevo um e-mail a você, como já escrevi centenas nestes cinco anos. E, mesmo sabendo que desta vez não haverá resposta, não tem importância. Seu endereço de e-mail desativado. Pensei em tudo: conheceu alguém real, esqueceu ou morreu. Tudo morre, tudo acaba.

Perdoe-me, mas descobri que escrevo por não ter quem escute caso eu fale. E que ando só porque não tenho companhia, não que goste da solidão. E que o amor existe. Existe para todos, inclusive para mim, mas meu amor é sem partilha, não é igual ao amor de novela. É como a vida.

Sei que não é apenas desejo, é uma possibilidade.

Beijos,
Sua Beth.

PARA UM AMOR QUE PARTIU
Bia Gregório

Saudade, 15 de abril de 2010

Para um amor que partiu.

Oi, meu anjo, não sei se no céu chega correspondência. Tem umas coisas que eu queria te dizer há muito tempo, mas fiquei esperando o momento perfeito para fazer, e aprendi do jeito mais dolorido que todo dia pode ser o último. Por isso estou aqui, escrevendo para você um agradecimento, mas que bem poderia ser um pedido de perdão. Hoje é seu aniversário de 30 anos, mas o vestido sobre a cama não é para a sua festa e sim para a sua missa de sétimo dia. Você partiu, amor.

Você, de alguma forma, sentia que sua vida seria breve, e não fosse a intensidade com que você viveu, amou e se entregou a tudo que escolheu fazer, eu não teria sido convencida da sua certeza e teria ainda mais arrependimentos, pois teria sido branda demais no meu amor.

No auge do meu sentimento eu te deixei voar, fiz o que diz aquela música que tantas vezes ouvimos juntos:

"Viva todo o seu mundo, sinta toda liberdade

E quando a hora chegar, volta

Que o nosso amor está acima das coisas desse mundo

Desse mundo."

Foi duro reconhecer que a estabilidade que eu sentia precisar para ser uma mulher feliz era incompatível com entrelaçar a vida com alguém tão livre, e por isso eu te deixei ir. Mas, sabe, enquanto você foi viver, eu descobri que também tenho asas e voltei a sonhar com a possibilidade de te reencontrar.

Hoje eu soube que, nos últimos suspiros, você chamou por mim; me perdoe por não ter conseguido chegar a tempo. Sinto muito por você ter partido sem ouvir uma última vez o quanto eu te amo e o quanto esse amor foi transformador e sinto muito por mim, que deixei um pedaço do meu coração embaixo daquela lápide. Sou grata por ter vivido essa história de amor que me devolveu para mim. Eu te amo.

Bia.

SABOR DE MORANGO
Caio Peroni

São Paulo, 23 de outubro de 2022

Minha eterna querida,

Acho que é justo que eu comece assim: eu nunca gostei de morango. De nenhum jeito. A fruta deixa rastros na boca; o suco vem com pedaços; o sorvete enjoa; a torta tem um pouco de tudo isso. Enfim, um morango na minha língua sempre foi uma experiência desagradável.

Só que você deve se lembrar de outra coisa, não? Você deve se lembrar de como eu dizia amar morangos, de como eu comprava (ou melhor: pedia para a minha mãe comprar) caixas e mais caixas para que as dividíssemos na hora da saída, na caminhada de volta para casa. Você também deve se lembrar — se a parte da infância que nós compartilhamos ainda residir na sua memória — dos fatídicos espetos de morango com chocolate, que representaram, em algum momento, o ápice romântico do nosso namoro.

E agora, neste exato momento, enquanto transita do segundo para o terceiro parágrafo, você deve se perguntar o que me motivou a escrever esta carta. Há quase 15 anos de distância, após o que parece ser um abismo temporal entre a sua história e a minha, eu ouso esticar a mão para o passado e puxar o ponto do fio de nossa vida onde há um nó que nos une.

Um nó feito de algum tipo de corda que o tempo não conseguiu enfraquecer.

Talvez haja um só combustível para esta carta. Afinal, o quão felizes seríamos caso tivéssemos nos conhecido num tempo em que eu não precisasse mentir sobre gostar de morangos? Menti por concluir, no alto de meus dez anos de idade, que a verdade afastaria você de mim. E veja só: apesar de todos os morangos que fiz descer goela abaixo, hoje você está tão longe que só posso vislumbrar sua silhueta em sonhos acordados, como uma miragem num horizonte impossível.

O problema, afinal, nunca esteve nos morangos.

Por favor, rasgue esta carta caso ela cause algum transtorno. Ou melhor, escreva-me de volta — precisamente se ela causar algum transtorno. Não acho, afinal, que o amor seja um sujeito muito diplomático.

Com amor, sempre,
Pedro.

TERTÚLIA

Carla de Faria

Amiga Tertúlia,

Escrevo-te esta carta
Aberta de braços, de abraços, de versos
Letters, letras, *let's let*

Preciso dizer-te
Contigo a insônia converte, a tarde enternece
Vou deixando o amanhã ser
Vou enganando a morte

Foi assim, trevo, que tu nasceste?
No meu canteiro, cósmica
Exatamente no meu norte
Fazes as estrelas me olharem
Tu já me conhecias... parece!
Se me encolho feito lua entre as árvores
São reticências deste maio, quase frio
Traz-me por favor um suspiro
Tu me inspiras a inspirar
Ar, muito ar, arte!

Não fiques longe
Das conspirações do universo
Conexões astrais paz-voz-ano-luz
Tu me fazes forte, parte de qualquer parte!
E guarda o meu até suave, que é breve!

Teu poema.

O QUE EU NUNCA TE FALEI
Carla Mangueira

São Paulo, 14 de dezembro de 2014

Oi, Pedro,

 Talvez seja um pouco tarde para o envio desta carta, mas eu precisava colocar um fim de uma só vez nesta história.
 Não, não pedirei para que reatemos, pois esta não é mais uma carta de amor, não daquelas convencionais. Então, peço que você a leia até o final.
 Eu te agradeço por ter feito de mim uma mulher realizada pelos anos em que estivemos juntos, embora não da forma mais convencional que se espera dos casais.
 Te agradeço por todas as risadas que demos, por todos os carinhos trocados.
 Te agradeço por me fazer sentir desejada e, por que não, me sentir amada?
 Te agradeço, principalmente, por, depois do fim, ter me ensinado a me respeitar como mulher.
 Te agradeço por ter me ensinado o quanto é importante ter amor-próprio e dizer não às situações que podem nos fazer sofrer.
 Te agradeço por me fazer perceber o quão valioso é colocar-nos como prioridade, ser autorresponsável pelas escolhas que fazemos.

Te agradeço por não ter me escolhido, pois o seu não me faz olhar para mim, me fez realizar sonhos, a buscar meu autoconhecimento.

Te agradeço pelo teu não ter me feito compreender que, para sermos felizes, não precisamos buscar no outro a parte que nos falta, mas sim fazer-nos completos e somar as partes nesta busca pela tal felicidade.

Te agradeço por tantos elogios que me fez, pois foram eles que me fizeram enxergar a mulher incrível que eu era e sempre fui.

Te agradeço por nossa amizade que, mesmo depois de tantos percalços, perdura com uma certa dose de amadurecimento, respeito e amor.

Para ser sincera, nunca pensei que um dia escreveria uma carta assim para você, muito menos que um dia eu pudesse te agradecer por tudo isso que descrevi.

Na verdade, como disse, esta não é mais uma carta de amor convencional, mas uma carta de amor em forma de agradecimento, pois cada um desses momentos me serviram de impulso para mudar coisas na minha vida de que eu tinha tanto medo.

Então, muito obrigada por ter feito a sua escolha ao não me escolher, pois caso isso não tivesse acontecido, eu não seria esta mulher que te escreve e te agradece; para ser sincera, eu, sem dúvidas, não seria hoje a minha melhor versão.

Obrigada.

Espero que seja sempre muito feliz!

Com amor,
Gabi.

A PRIMEIRA CARTA DE NÓS!
Cecília Souza

Brasília, 10 de junho de 2019

Meu estimado fleumático,

É incrível como as coisas de sentimentos acontecem, não é? Em uma hora você nem nota a existência do outro e, de repente, esse outro passa ser um dos motivos da sua existência. Bem nesse contexto surgem as melhores histórias, porque melhor que se apaixonar é saber a hora exata em que um sutil movimento envolve sua alma e se transmuta em uma corrente elétrica de afeto. Quando o outro passa a ser também um pouquinho de você...

E assim estamos nós, você e eu, você sem saber (é claro), ou será que sabe e eu é que acho que não? Enfim, vou continuar escrevendo "nós" porque sentimento bonito é plural e nunca singular. É legal poder dizer que antes de te ver eu te senti, isso é algo profundo e introspectivo, um elo de carinho se tornando possível. Pude pensar em sensações antes de emoções. Acho importante isso, porque quando a emoção vem, nem sempre pensamos racionalmente, mas nesse caso eu senti. Senti a energia calma da sua alma e o equilíbrio sereno de tua mente. Eu te percebi antes de entender que poderia te amar, e te descobrir foi um presente genuíno do universo, é como se tivesse sido me dada a concessão de escolher me envolver com alguém que tenha a tranquilidade necessária para uma longa história de amor.

Este é meu relato para você, que se envolveu na minha vida sem me perguntar se eu deixaria a porta aberta para você.

Esta história é minha e sua, não houve consentimentos aqui, só sentimentos que chegaram antes da percepção de que talvez isso não fosse uma boa ideia.

Ficamos assim, você aí fingindo não perceber e eu aqui tentando te esquecer.

Boa sorte para nós!

Melissa Dias.

POSTA RESTANTE
Chris Amaral

Praça da Liberdade, outono passado.

Oi, você, que me chamava de namorada.

Eu fui embora. Soube depois que me buscou por todos os lados, em todos nossos lugares. O que ainda me surpreende. Vi você, sem que me percebesse, depois de 19 anos, 11 meses e 6 dias, eu vi seu perfil, suas mãos, cabelos, agora ligeiramente grisalhos; parei de andar na sua direção, parei de respirar e tive umas dezessete paradas cardíacas e suspiros silenciosamente profundos; pensei em sair correndo e nunca mais voltar, acho que estaria correndo ainda se não fossem meus pés paralisados e meus olhos hipnotizados pela vontade de tocar seus cachos.

Minha alma e coração quiseram te abraçar, mas a realidade foi estranha, não nos tocamos, eu sei, mas na minha cabeça eu já estava em seus braços, aos beijos.

O tempo é inclemente. Ter destruído o que houve entre nós foi um exercício de ausências, uma forma estranha de ficar transparente e passar despercebida de mim mesma pelos espelhos da casa.

Olho para você na minha frente e meus pensamentos começam a narrar o que podia acontecer: ele vai pegar a minha mão e...

Eu só conseguia guardar esse momento para sempre, cristalizado na minha retina, você é uma fotografia tatuada na minha alma.

E fico assim entre não falar e desejar tê-lo por perto para tocá-lo quando for preciso esquecer. E me visita o pânico ao pensar que você já nos superou.

Sabe, Namorado, às vezes, mas só de vez em quando mesmo, percebo que o tempo gira às avessas, meio sem pé nem cabeça, meio a meio.

Eu queria ficar olhando sua boca cantando como se cada palavra nascesse de um beijo para mim. Me rendo, ainda não consigo colocar você na gaveta do esquecimento.

Meu último desejo era sobreviver a nós dois.

As cartas e verdades que enviei para você estão na posta restante do correio, aquele ao lado da sua nova casa da qual eu não tenho mais a chave.

Desculpe, mas...

Não te desejo nada, mais nada, nem sorte, nem azar, nem bom dia ou adeus.

C.
A Namorada.

UMA CARTA PARA SEU PAI
Clara Marcília

Quarta-feira, 02 de janeiro de 2019

Mô,

Ontem foi um dia estranho. Quatro anos se passaram e tudo soa estranho ainda. A casa nova cheia e ao mesmo tempo vazia. As lembranças foram mais intensas. Senti sua presença. E, sinceramente, preciso dizer a você algo que você já deve saber: é difícil seguir. E olhe que eu já tentei e ainda tento muito. A tempestade continua frequente, muitas vezes dói tanto que as lágrimas inundam. E, a cada vez, fico esperando a calmaria, esperando que o amor ágape me tome por completo e abrande essa saudade.

De fora é tão louco isso... quatro anos que não convivo com você fisicamente (nem parece isso tudo) e eu deveria estar bem, acho. Deveria ser um assunto resolvido. Mas quem sabe é porque dispensei terapias, muitas pessoas já me falaram da necessidade. Mas eu acho isso tudo tão estranho ainda.

Bem, não sei bem definir a necessidade de fazer uma terapia para falar de um amor de verdade. Sei dizer que estou seguindo como posso. Escrevo cartas para me ajudar. Busco alternativas onde não preciso me deslocar para um consultório.

Ei, Mô, sabia que você parece estar aqui do lado, às vezes? Já me peguei várias vezes querendo te mostrar algo legal, querendo conversar sobre alguma notícia que li, te buscando pela casa... e olhe que é uma casa por onde você não passou. Queria te contar da Isa, mas acho que nem precisa, né?! Você tá aí acompanhando ela, olhando como ela cresce, amadurece e a cada dia vejo você nela. Seu modo curioso, sua forma de querer fazer as coisas e entender como elas funcionam.

Que bom que você me deu esse presente. Que bom que Deus a fez assim. Ontem ela conversou comigo e disse que você está perto da gente. Me lembrou o que disse a ela no dia de sua partida. Que Deus precisou de você. Olha que louco isso! Ela foi minha mãe ontem. Tão linda e tão esperta. Então, queria saber se você me permite publicar esta curta carta no blog. Aquele blog que escrevo para ela. É para ela saber, lá na frente, como foi importante para mim nestes momentos. Quando ela estiver grande, sabe? Apesar de eu achar que ela já é enorme hoje. Enorme em amadurecimento e em carinho.

Bem, pelo que conheço de você, você responderia: "Mesmo que eu não autorize, você vai publicar, né?! Te conheço bem. Então, para dar tudo certo, pode publicar". Rsrsrs, parece que escuto você falando.

Clara Marcília.

DESALINHO
Cláudia Almeida

Brasília, 10 de julho de 202X

Meu maior amor J.,

Hoje. Hoje foi o último. O último dia. O último dia de nós. Não, não pode ser. Eu ainda teria tantos dias com você, em nosso encaixe (im)perfeito, nossas mãos na doce harmonia do entrelace. Ainda tínhamos sorrisos emaranhados e quantas noites despidas; suas mãos redesenhando meu corpo, as minhas alinhavando nosso suor profuso. Ainda pecaríamos com deleite, assistiríamos ao nosso filme com teimosia, nos embebedaríamos de letras universais.

Ontem. O ontem onde moramos ainda nos aquece com beijos manhosos e olhares imensos. Nele escrevemos juras e caprichos, abrigamos arrebatamentos e carícias, descansamos desencantos e queixumes. Nosso ontem tem cheiro de domingo de sol e terra molhada, chove ternura e derrete em mel. Ah, se eu soubesse que o ontem não abraçaria amanhãs...

Amanhã. O amanhã que não virá. Entreguei paixão e belezuras nesse futuro que agora é sina. Enfeitei com delicadezas e alegria os dias que não mais nos pertencem. O amanhã de tanto amor se encobriu de insegurança e melancolia, escapou do olhar. Nosso amanhã se vestiu de dor. E não passa.

Então, invento que nosso hoje não termine. Nunca.

Para você, meu infinito.
C.

MARIA ANTÔNIA
Cleobery Braga

Fortaleza, 1º de julho de 2023

Maria Antônia,

    Esta carta é a certeza de que você está sempre presente na minha lembrança, constantemente, e que, por mais que tente te esquecer, não consigo; mesmo me ocupando o tempo todo no trabalho, a que me dedico com afinco e amor pelo que faço. Sabe que não tenho hábito de escrever, mas fui motivado pela saudade imensa que sinto de ti. Estou triste por não conseguir ir ao teu encontro conforme prometido. Não sei como definir o amor que me envolve sempre que te vejo e que se apossou de mim ao lembrar do nosso primeiro encontro, com troca de olhar, sorrisos, balbuciamos algo e fomos nos aproximando despretensiosamente até que, inexplicavelmente, senti que estava frente a alguém que mexeu com meus sentidos. Desde então tenho a convicção de que te amo, com inexplicável sensação de não conseguir viver sem você.
    Querida Maria Antônia, acredite que sofri por não poder te encontrar para comemorar um ano de namoro, devido a compromisso de trabalho. Sei que compreende o quanto tenho de expectativa de promoção nesse emprego, o que vai proporcionar que, em breve, possamos unir nossas escovas

de dente em um casamento que nos trará felicidade, e construiremos uma família com filhos.

Os momentos inesquecíveis que desfrutamos nas viagens, nos passeios, do agasalho debaixo das cobertas no intenso frio da cidade de Santa Maria, no Rio Grande do Sul, e que você tremia de frio e me pedia para te abraçar. Não esqueço o banho na cachoeira na cidade de Bonito. Sempre tivemos um relacionamento amigável, de compreensão, entendimento com sabedoria para aceitarmos as ideias e opiniões um do outro. Finalizo com um carinhoso abraço.

Espero que esteja feliz. Com saudades,
Rafael.

CORREIO DE FRANÇA
Dayse Lourenço

Montpellier, 25 de fevereiro de 1996

Meu João,

Recebi sua carta hoje. Bonita. Uma das mais bonitas. Estive no fim de semana em uma praia ao sul, com amigos. Acabamos de jantar e demos uma volta, céu sem estrelas, o mar mais bravio que de costume, um vento frio, muito frio. Tive vontade de sentir seu corpo colado ao meu, passeando em mim como o vento lá da praia. Mas um vento quente, tropical, cheio da poesia que você sabe dizer e viver. Tenho saudade, relembro cada gesto, cada palavra, cada carícia.

Quero te rever logo, muito em breve, mas não seja breve, seja infinito, mas não inacabado. Você ultrapassa, e se repete, e não se extingue, perpetuado em mim. Não seja breve, por favor, não seja nunca breve.

Vem comigo ver o pôr do sol e o som do mar bravio lá fora, ao abrigo do frio, do vento e da vida. Vem comigo sonhar, viver de verdade e de mentira. Vem, meu eterno, minha fome, meu prazer. Estou em cada pôr do sol em sua varanda, a rodear e acariciar você como o ar. Você não sente?

Sou todos os gatos do seu jardim, os trincos de suas portas, o silêncio da sua solidão, seu descaminho. Sou o que está dentro de você e lê esta carta pousada no seu colo, enrodilhada no seu regaço, ouvindo os sons da sua barriga, misturada nos seus pelos. Sou seu cheiro.

Eu não te deixo nunca, nem por um instante. Eu te espreito, a despeito de você mesmo. Você não pode me impedir. Mesmo que se zangue, estarei atrás de suas pálpebras cada vez que você fechar os olhos, ao menor piscar de olhos, mesmo o mais fugaz. Sem querer, ou por querer sonhar, você me deixou entrar pelos teus olhos, casa adentro, mergulhando. Teus lindos olhos me guardam desde então, e você não será capaz de chorar lágrimas suficientes para me tirar de lá. Você nunca mais vai poder ser breve, nunca mais vai saber partir. Não se pode partir de si mesmo. É sem cura, sem remédio.

Espero sua visita quando chegar abril. Traga o sol dos trópicos e o cheiro do seu mar. Aqui, as flores já terão chegado.

Saudades e beijos,
Sua Margarida.

MEU AMOR PROIBIDO
Deeznara Laarc

Caxias-MA, 27 de agosto de 2022

Amor Proibido,

 Escrevo aqui o que não posso te revelar, nem mesmo me atrevo a tentar, pois tu, sério e comprometido, ao saber podes se afastar. Então não devo te importunar, tampouco espalhar a outros. Assim, desabafo nesta escrita para ao menos a aflição acalmar.

 Pois é, escrevo nestas linhas todo o sentimento que por ti venho nutrindo, iniciado com um simples observar de teu belo sorriso e teu olhar tão sincero num diálogo descontraído que despertou em mim um interesse por ti até então inimaginável.

 Desde então, anseio pelo momento em que vou te ver, para alegrar-me e te sentir somente. A cada nova conversa ponho-me a sentar ao teu lado para minha triste alma se regozijar, a dopamina em meu corpo se elevar em só estar perto de teu corpo tão viril.

 Não tenho coragem de te dizer das vezes que me perdi em devaneios de nossos corpos e lábios entrelaçados com carícias a levitar. E volto os olhos para ti, imponente em meio a um sorriso acanhado, e que sequer se atenta ao que está comigo a se passar. E por que se atentaria se nada fez para tanto excitar?

Outras vezes, imagino-me prestes a contar-te dos meus anseios, de sentir teu cheiro, teus lábios, e tu, sem falares, teu silêncio eu entenderia. E acariciaria tua pele devagarinho, tão suave, para te mostrar o arrepio na minha, em segredo, na surdina, como todo desejo proibido deve ser. E nada mais te pediria, a não ser o calor de tua presença tão gentil.

Também, por momentos, perco-me na lembrança de teu olhar suave e penetrante, marcado em meu ser, apontando esse desejo fascinante e às vezes me pergunto: existe uma forma de deixar de desejar? Não! Pois uma vez desejado, jamais esquecido, ainda mais sendo um desejo proibido!

Perdida nessa platônia, tem dias em que desejo embriagar-me, não de tédio ou solidão, mas de vinho, bebida dos seres aflitos. E depois, ébria, sairia do físico e cantaria aos ventos, e só aos ventos, os mil versos que fiz para ti, e que não te mostrarei jamais, é que tem que ser assim: não sabes de mim. E não saberás!

Te amo em segredo,
Deeznara Laarc.

TUDO A VER

Denise Vilardo

Daqui de casa, julho de 2023

Meu bem,

Você tem cara de meu bem, de benzinho. Tem um jeito delicado e vigoroso ao mesmo tempo. O vigor é interno, é transpiração.

Alguma coisa está fora da ordem. Está fora da ordem.

Por que mesmo que fui me apaixonar por você?

Caramba! Nada a ver... nada a ver...

Se me pedissem para descrever meu homem ideal seria: ... ah, deixa pra lá, não é nada disso mesmo.

Por que mesmo é que fui me apaixonar por você?

Caramba! Nada a ver... nada a ver...

Esse pensamento excessivamente lógico e fundado num cartesianismo bonito de se ver... de longe.

Você ainda acredita em causa e consequência.

Você ainda acredita em acontecimentos sucessivos.

Você ainda tem certezas a respeito das coisas.

Você ainda acha que a cognição é mais importante que a intuição.

Você ainda tem medo.

Por que mesmo é que fui me apaixonar por você?

E eu quero um homem que acredite em fadas e em ETs;

... que saiba que as consequências são imprevisíveis;

... que entenda que as incertezas comandam o que seremos;

... que tenha alma de poeta e ouvido de músico.

Por que mesmo é que fui me apaixonar por você?

Eu quero um homem que se saiba parte de Deus;

... que me sinta desde sempre;

... que entenda os nossos reencontros através dos tempos.

Por que mesmo é que fui me apaixonar por você?

Eu preciso de um homem que me diga para onde ir, que me pegue pela mão e, por algum tempo, me guie por caminhos desconhecidos;

... que me ensine o que não sei;

... que me fale como um poeta, mesmo achando que não é;

... que me leve para provar sabores nunca antes experimentados;

... que me proteja, desajeitadamente, da chuva;

... que seja carinhoso, sutil, delicado;

... que me abrace e me deixe ficar lá quietinha, apenas ouvindo as batidas compassadas do coração;

... que converse muito, muito e me fale de coisas que apenas imagino e que invente histórias, conte causos;

... que me ame com toda a intensidade de que eu preciso e sei amar. Nada contido, tudo muito.

Por que mesmo é que fui me apaixonar por você?

Caramba! Tudo a ver... tudo a ver...

Um beijo.

D.

CHUCHUZITA

Dionísio

José dos Campos, 10 de julho de 2023

Olá, Chuchuzita,

 Tenho lembrado do dia que a vi logo à minha frente, quando eu voltava para onde eu vivia na época.
 Bem sabe que, naquela manhã, eu seguiria direção diferente, pedalando, mantendo um costume do qual eu me valia e já era sentida ali, hoje esclarecida, esperança. No entanto, eu resolvi por um pequeno desvio que me levou até você.
 Cumprimos, desde então, alguns anos.
 Também de quando nos conhecemos, quando trabalhamos juntos, e agradeço tanto pelo que aproveitamos lá quanto pelo que vivemos em seguida e seguindo.
 Manhãs no Parque da Cidade...
 Coisas suas tão amáveis. Como cuida das plantas e dos bichos e como cuida de mim.
 Espero que minhas tentativas de retribuir sempre deem frutos e que você esteja e seja feliz, que é como estou e sou contigo.

É um carinho imenso não me chamar pelo meu nome e sim pelo que me dá com abraços e sorrisos, o que gosto muitíssimo quando me chama: Amor.

Chego a fingir não a ouvir só para me chamar de novo.

Beijos, eu te amo...
Dionísio.

AO MEU AMADO
Elisangela Dias Saboia

Mato Grosso, 09 de novembro de 2020

Ao meu Amado,

Olá, quanto tempo, não é mesmo? Já se passaram muitos e muitos anos desde que nos falamos pela última vez, e somente agora tive coragem de te escrever. Espero que esta carta chegue ao seu encontro em um bom momento de sua vida. Contudo, preciso abrir meu coração e dizer que foi muito difícil ficar sem você; me senti perdida, magoada, não conseguia me recuperar de tamanha decepção. A lembrança de nós dois me atormentava demais os pensamentos, e o sofrimento foi quase insuportável.

Os anos foram se passando e as dores começaram a aliviar, as feridas a cicatrizar, porém a esperança de uma reconciliação foi diminuindo com o tempo. Ah, meu Amado, quanto sentimento eu nutria por você. Foram muitas lágrimas derramadas, choros desesperados, e a raiva começava a tomar conta de mim. Passei um período considerável cultivando o rancor e a tristeza. Cheguei ao ponto de pensar que minha vida não teria mais sentido sem você ao meu lado.

No entanto, hoje posso dizer que a agonia de viver sem ti todos os dias se foi. Já consigo sorrir e lembrar de nós sem ressentimentos. Eu consigo entender que o nosso amor não perdurou, mas estará eternizado na minha memória enquanto eu existir, porque foi real. Hoje, não me inquieta mais querer saber por que o nosso relacionamento não deu certo. Não temos respostas para todas as perguntas que fazemos durante a vida. Então, acredito que tinha de ser assim e devemos ser felizes mesmo não estando mais juntos.

Para terminar, meu Amado, depois de tantos anos passados, eu sinto paz. Sou grata por tudo o que aprendi depois de nossa separação, apesar de tanto sofrimento. Eu sei que nunca viveremos aquele romance novamente, e que talvez não voltaremos a nos reencontrar. O tempo não curou todas as minhas dores, mas me tornou resiliente. Por isso, preciso te dizer que, embora eu não te ame mais, eu nunca te esqueci, jamais.

Alguém que te amou verdadeiramente,
Elisa.

CARTA À MINHA MÃE

Estela Maria de Oliveira

Porangaba, 07 de julho de 2023

Querida mãe,

Sempre tive vontade de te dizer muitas coisas, principalmente em relação ao tempo em que ficou sem meu pai, passando por privações e criando os filhos sozinha.

Você ficava naquele isolamento do sítio, e nós, adolescentes, felizes por irmos passear na cidade, saíamos sem imaginar a solidão com que você passaria as noites. Hoje, quando fico só, me dá uma tristeza tão grande ao imaginar a renúncia à vida para nos fazer pessoas de bem, sem pensar um instante na própria felicidade.

Sobreviveu sempre com muitas dificuldades com o trabalho braçal na lavoura e na ordenha das vacas. Como lazer, tricotava, transformando restos de lãs em novos agasalhos para os filhos; o seu era sempre o último. Nunca se afastou de Deus, passando-nos os seus valores e a sua fé.

Continuou sua vida com força e coragem, uma mulher bonita que construiu sua caminhada sem abandonar seu projeto de ajudar os mais necessitados.

Deixou um legado junto às demais mulheres vicentinas de Porangaba. Com pouco estudo, mas muito letrada, viajou sozinha para a Itália para conhecer seus parentes maternos e paternos. Quanta história trouxe dessa convivência, fazendo-nos amar e nos orgulhar ainda mais da nossa origem.

Os vários acidentes que limitaram a sua mobilidade, já bastante comprometida pela paralisia infantil, não tiraram a sua vontade de viver. Este mês, você completará 100 anos. Confusa mentalmente, depende dos cuidados dos seus cinco filhos vivos para sobreviver com dignidade. Mesmo sem reconhecer e lembrar do meu nome, ainda sorri quando me vê. Deve guardar na memória imagens que a façam perceber que sou um ente querido.

Ah, mãezinha, nós sabemos quem você foi. Temos uma linda história juntas e uma imensa gratidão pelo que compartilhamos nesta vida. Se eu pudesse, voltaria no tempo para vivê-lo intensamente e tentaria ser a mesma pessoa que hoje sou, herdeira de tantas características suas. Obrigada, minha mãe, Dina Becheli!

Sua filha, Estela.

MELHOR ESCOLHA

Fê Kfuri

Rio de Janeiro, 28 de julho de 2022

Meu amado Rodrigo,

    Quando nos conhecemos, já na primeira conversa, você afirmou sobre como éramos parecidos. Entre afinidades, discordâncias, aproximações e afastamentos, o que mais me marcou foram coisas que nunca mudaram... A honestidade, o desejo, a confiança, a conexão, a leveza, a compreensão, a sinergia, a admiração, a liberdade e a superação (nosso TOP 10).

    Lembro de como me abraçou forte quando me viu e me contou empolgado um pouco da sua trajetória e luta pelo que acredita, o que me fez te admirar ainda mais. Também falou sobre nossa sinergia e conexão e que, se realmente existem outras vidas, quem sabe nos conhecemos antes... e tive exatamente essa sensação, de te conhecer faz tempo...

    Resisti ao nosso amor, pois achava que não me encaixaria no seu mundo, e você, mais uma vez, com sua transparência e convicção nas nossas semelhanças, me convenceu de que eu estava errada em resistir a algo que, no fundo, eu queria viver contigo e poderia ser feliz assim. Você tinha total razão!

    Quando finalmente decidi aceitar isso, percebi que nenhum outro homem conseguiu fazer o que você fez... me ajudar a enfrentar barreiras para outro universo, desconhecido até então, mas que despertou minha curiosidade e meu interesse. Você fez com que eu me superasse em algo que nem eu mesma acreditava.

Confesso que ainda tenho barreiras a enfrentar, porém a segurança e a confiança que sinto contigo me fazem seguir em frente, sem medo, e a cada dia conseguindo me libertar e curtir mais. Hoje afirmo que meu maior prazer é te satisfazer.

Sei que somos livres e sempre seremos para viver o que desejarmos, e é diante dessa liberdade que escolho quem me faz bem. Escolho você! A verdade é que você é o único que me satisfaz em todos os sentidos.

É como você sempre diz: "Temos tudo a ver! Você não percebe?!"

Estou contigo nessa jornada, meu amor!

Carinhosamente,

Fê Kfuri.

MILAGRE DE NATAL
Fê Kfuri

Rio de Janeiro, 25 de dezembro de 2022

Rodrigo,

Você já me disse que não curte Natal, mas este Natal é mais especial para mim, pois ganhei um dos mais valiosos presentes da minha vida: você!

Sei que temos muitos obstáculos e que não somos as pessoas mais fáceis do mundo, mas mesmo com tudo isso ainda nutrimos um grande sentimento, capaz de superar desafios e revigorar o que tem de melhor em nós.

Olho para você e sinto como se fosse o que falta em mim e acredito que sejamos o ponto de equilíbrio um do outro. Manter esse equilíbrio é desafiador, pois lidamos com pontos conflitantes ao que estamos acostumados a ser e viver, porém é uma grande evolução, que traz crescimento para ambas as partes, já que vamos gradativamente buscando ser pessoas melhores.

Já pensamos tantas vezes em nos distanciarmos, pois talvez fosse a escolha mais fácil, mas nossa conexão é mais forte que tudo. A sensação de vazio que fica com a sua ausência é bem mais dolorosa que encarar os desafios de permanecer ao seu lado.

Quando cheguei a essa conclusão, percebi que em toda a minha vida nunca havia tido uma sensação como essa, de querer enfrentar minha insegurança, meus medos e me modificar de alguma forma para viver um amor em plenitude. Poder ser quem sou, mas ter a vontade de ser melhor por nós e pela nossa felicidade.

Depois que te conheci, em todas as vezes que penso em desistir, meu espírito grita para ficar. Nessa luta entre o racional e o emocional, me sinto tão pertencente a você espiritualmente que meu corpo não consegue ir. Talvez essa seja minha resposta...

O verdadeiro amor transforma (para melhor)!

Desejo ser o melhor possível por nós, pelos nossos filhos e a cada novo dia fazer a mesma escolha: nós dois!

Que possamos nos permitir mais aprender um com o outro do que seguir nossa característica natural de querer ensinar.

Que esta data signifique a celebração da forma de amor mais pura, forte e verdadeira.

Feliz Natal, vida! Te amo!
Sua mulher,
Fê Kfuri.

PESSOAS VALEM MAIS QUE DIAMANTES

Fê Kfuri

Rio de Janeiro, 09 de julho de 2023

Meus amados filhos,

Miguel, Livia e Valentina,

Quando embarquei na minha experiência como mãe, nem de longe imaginei como seria. Um novo mundo surgiu, com uma nova percepção do amor, o amor incondicional. Aqueles novos corações batendo dentro de mim potencializaram meu dom de amar.

Esse poder transformador do amor se tornou base para tudo na minha vida. Assim, superamos todos os desafios que o criar e o educar exigem, sempre de mãos dadas. Como me orgulho dos lindos seres que se tornaram! A perspectiva que vocês têm do lugar que ocupam no mundo e da importância do olhar além de si mesmos me tranquiliza na minha missão como mãe.

Deus lançou um poder muito especial para cada um de nós, o dom de alcançar o coração de cada ser que passa pelo nosso caminho e deixar mensagens valiosas tatuadas lá para sempre. Esse é um poder de grande responsabilidade e compromisso.

Jamais seremos perfeitos, mas o equilíbrio e a empatia são habilidades fundamentais para exercitarmos todos os dias. Olhar para dentro de nós e reconhecer nossas forças e fraquezas é o primeiro passo para nos conhecermos como realmente somos e refletirmos sobre como podemos melhorar (e sempre podemos).

Busquem essa reflexão e melhoria constante, o impacto não é só no relacionamento interpessoal, é em tudo, principalmente para si mesmo. Afinal, somos transformadores de vidas, inclusive das nossas... Precisamos cuidar com muito carinho para que não se perca no orgulho nem na exclusiva satisfação do nosso ego.

Que o amor seja sempre capaz de direcioná-los ao que realmente importa e lembrá-los do que os trouxe até aqui.

Sejam confiantes! Plantem as sementes com amor e dedicação e tenham a certeza de que vão gerar bons frutos. Usem a viagem terrena para deixar marcas positivas aos muitos viajantes que cruzarão seus caminhos e aos que passarão por onde deixaram suas pegadas.

Vocês são meu maior legado para a humanidade!

Com amor,
Fê Kfuri (mamãe).

CARTA PARA LEONOR
Flavia Pascoutto

Niterói, 02 de fevereiro de 1954

Querida filha Leonor,

Hoje te envio todo o meu amor. Curta essa linda viagem, aproveite toda paisagem, viva a vida com intensidade, não dê lugar à vaidade, prefira a humildade, apoie-se na verdade e desfile com integridade.

Não pense que está sozinha nessa passagem, faça amizade, mostre lealdade, sorria com vontade e se preciso chore com intensidade, não dê espaço para superficialidade, ame quem ama com profundidade.

Entregue seu coração à felicidade, não se contente com morosidade, abra-se para o amor com benignidade.

Sonhe com liberdade, não se importe com superficialidade, pratique a caridade, segure a mão deles com amabilidade.

Habite em seus olhos a solidariedade, onde chegar demonstre fidelidade, seja lembrada pela bondade, converse com sinceridade.

Beije seus filhos com serenidade, ensine a idoneidade, demonstre reciprocidade e os envie com maturidade.

Despeça-se da sua mãe com sanidade, não se agarre a ambiguidade, se perdoe com bondade; que em você more a dignidade.

E quando a idade demonstrar austeridade, diga com autoridade que, apesar da comorbidade e toda complexidade de uma vida com qualidade, valeu a pena cada possibilidade e que enfim todos terão de você uma enorme saudade.

Com afeto e amor eterno,
Seu Pai, Theo.

PARA MEU AMOR E PARCEIRO DE VIDA

Flor do Sul

Palmeira das Missões, junho de 2023

Para meu amor e parceiro de vida,

Quando mais jovem, eu escrevia bilhetes, cartões e cartas para minhas amigas enviarem a seus namorados. Naquele tempo, eu não havia tido contato com o sublime sentimento chamado amor; apenas o vivenciava na minha imaginação, no meu coração. Acreditava que, um dia, eu o sentiria da maneira mais genuína e bonita possível.

Talvez, ainda adolescente, essas palavras recheadas de sonhos sobre o amor, sobre amar, sobre compartilhar a vida com alguém já fossem destinadas a você, sem que eu sequer te conhecesse. Hoje, meu coração ama. Não imaginariamente, mas concretamente. Ama e é amado. Ama e verbaliza esse amor. Ama e permite que meu corpo, minha alma e minhas palavras o expressem naturalmente.

Você me mostrou como é bom amar e sentir-se amada. Como a vida é mais leve, os problemas menos pesados e o crescimento enquanto ser humano é mais bonito quando se tem com quem compartilhar cada particularidade nossa. Contigo, posso ser eu mesma. Comigo, você é você mesmo.

Nossa parceria é recente, no entanto, parece antiga; talvez pela intensidade que colocamos em tudo o que nos envolve.

Estamos lado a lado há pouco tempo, mas espero que se torne muito tempo. Agradeço a você por ter acordado meu coração, por ter me mostrado que sou capaz de amar e ser amada, e, além disso, por não ter desistido do nosso amor. Que esta carta, que é uma das formas mais românticas de declarar sentimentos, te encontre feliz, acarinhado e se sentindo amado.

Com amor,
Rovana.

O AMOR QUE NÃO VIVI
Francis Braga

Ontem nos encontramos por acaso? Foi tão bom te ver depois de tanto tempo. Nossa conversa foi rápida, mas suficiente para eu concluir que, se tivesse optado por você, teria sido melhor. Mas eu era um cisne no deserto, e você, um oásis, o meu oásis! Insana, não vivi o seu amor. Como uma folha à mercê do vento, às vezes leve, às vezes no chão, não percebia o bem que você me fazia. Fui seu sonho, mas você não estava no meu. Não sou impermeável! É que amor demais sufoca. Você me deixou ir, me perdi... por que não me achou? Quando entendi e procurei, meu lugar já estava ocupado. Somos impermanentes, que pena! Quisera eu poder voltar o tempo até aquele dia em que você me roubou um beijo.

Quando nos despedimos, não dissemos EU TE AMO! Não foi necessário. Nosso amor é para todas as vidas... tão puro! Tão nosso! Você disse que sou sua saudade eterna. E você é a minha melhor lembrança. Sinto saudades do que não vivemos. Você disse que vai me procurar... não precisa, prometo te avisar. Sei que vamos nos reencontrar para ser o que não fomos.

FLASHBACKS
Gabi Bouvier

Região do Grande ABC, 10 de julho de 2022

Querido R.,

Desde quando nos vimos pela primeira vez, eu imaginei que nos tornaríamos grandes amigos, pois soube que tínhamos muitas coisas em comum. Imaginei que acabaríamos indo a alguns lugares juntos e que nos divertiríamos ao fazer isso; no entanto, eu não fazia ideia de que algo a mais estava prestes a acontecer entre nós.

Confesso que sempre que estávamos a sós eu me sentia feliz, me sentia completa. Mas foi aos poucos que você foi me conquistando, até que ganhou o meu coração.

Eu passei a observar o modo como você trata as outras pessoas e confesso que essa é a sua característica que mais amo. Além disso, me apaixonei pela forma como você me trata, mesmo que eu ainda não soubesse que já estava apaixonada por você antes disso.

Agora há vários flashbacks na minha cabeça. Nós conversando no terraço, na rua indo pegar café e dando uma volta no quarteirão. Nós comprando lanche no shopping e sozinhos pela primeira vez. Você chamando um Uber para que eu não fosse sozinha até o hospital porque eu não estava bem. Você insistindo para ir junto, mesmo que ninguém soubesse o que estava acontecendo entre nós (porque nem eu mesma ainda sabia).

Sei que sou uma jornalista e que, por conta disso, tenho a responsabilidade de ser sempre objetiva. Mas, desta vez, permito-me deixar a objetividade de lado para alcançar o meu objetivo de deixar você saber como estou me sentindo.

Quero que você saiba que estar com você hoje foi muito especial para mim. Me esforcei demais para me manter concentrada no filme porque tudo o que eu queria era mais um abraço e outro beijo. Além disso, você me disse que estava nervoso e ansioso por sair comigo, o que eu achei muito fofo.

Eu não sei se você vai querer estar comigo de novo, pois não sei se podemos ter um futuro juntos no contexto em que estamos e em que nos conhecemos. Tudo o que sei é que no presente me sinto sortuda por ter te conhecido melhor.

Com carinho,
G.

AMOR ALÉM DO TEMPO
Gabriela Salgarello

Barbacena, 09 de julho de 2023

MINHA QUERIDA, SEI QUE JÁ SE PASSARAM 30 ANOS...

Mas tua presença ainda é muito forte por aqui. Os 10 anos que passamos lado a lado deixaram marcas profundas no meu coração e me fizeram tudo que sou hoje. Cada passo, cada decisão, cada passagem da minha caminhada foi reflexo do tempo que você esteve ao meu lado.

As coisas mudaram bastante, aquela casa já não existe mais, não moro na mesma cidade (hoje moro onde sempre sonhamos estar), já não sou a mesma pessoa, a maturidade lapidou meu ser...

Quero que saiba que a cada manhã, ao raiar do dia, é no seu sorriso que eu penso e, ao ver a primeira estrela à noite, é do brilho dos seus olhos que eu me lembro.

A distância só fez meu amor por você crescer; no entanto, o carinho de tua presença foi substituído pela saudade que sinto e sentirei até o último dos meus suspiros. A saudade é uma lembrança doce e amarga daquilo que gostaria de ter vivido ao seu lado, mas que jamais saberei o que é...

Tento ser como você, tento me espelhar no seu exemplo, e mostrar para o (meu) mundo que não há limites para o nosso amor, mesmo sabendo que é inútil falar, pois você não vai mais voltar.

Infelizmente, sei que não receberei sua resposta, não terei a oportunidade de ouvir tua voz novamente... Não poderei sentir o calor da sua pele ou o seu carinho no meu rosto, que é uma das mais doces lembranças que guardo.

Minha querida, é uma pena que o céu não tenha caixa de Correio e que não seja possível ouvir de você, MÃE, que sou a filha que sempre sonhou. Mas sigo acreditando que está orgulhosa de mim. De alguma forma você estará sempre presente ao olhar minhas filhas crescendo e ao fazer com elas tudo o que eu gostaria que você tivesse feito comigo...

De sua filha, Gabriela...

QUANDO TUDO COMEÇOU
Melo, Hicléia

Parauapebas, 07 de julho de 2023

Era 17 de abril, recebi uma mensagem: "Oi, boa noite! Me chamo Alex. Te achei incrível, muito carismática."
Acompanhava foto de rosto "regrinha" do meu perfil, respondi com educação e carisma mencionado.
Trocamos contato, segundo Alex, ali não chegava notificação, a conversa fluindo de cara, rolou uma conexão muito boa. Não aguentamos a curiosidade. Quando fomos para a chamada de vídeo, eram 23h24. Encerrou-se às 02h44: quase quatro horas de ligação.
Nossas mensagens e ligações se tornaram diárias: Bom dia! Boa tarde! Boa noite! Como você está? Dormiu bem? Como foi seu dia? Carinho e reciprocidade explícitos.
Começamos a fazer planos para nos conhecer pessoalmente.
Moramos longe; Alex mora em Salvador-BA; eu, Hicléia, moro em Parauapebas-PA.
Passamos a nos apoiar ainda mais, com muito carinho e preocupação, nos fazendo companhia mesmo de longe.
À noite, espero Alex parar de trabalhar para lhe dar boa noite, bom descanso; ainda fazemos a chamada de vídeo pela madrugada para nos vermos e matar a saudade.
"Rotina" diária, sempre a mesma preocupação, o mesmo carinho.

Como diz Alex: "Vamos nos desejando".

Alex resolveu que viria me ver, confesso que duvidei. Quando comprou as passagens, senti um misto de sentimentos que não sei explicar, afinal, o desejo de nos conhecer se realizaria.

Passei a contar os dias para buscá-lo no aeroporto, imaginando como o receberia, o que fazer.

Chegou o dia, ansiosa, fui cedo para o aeroporto para não me atrasar.

Chegou o voo, procurei ver se o enxergava.

Todo sorridente quando me viu; meu coração queria sair fora do peito de tanta emoção. Dei-lhe uma rosa, boas-vindas, um abraço apertado.

Nosso sonho se realizava!

Alex ficou comigo por uma semana, nos divertimos, passeamos, nos amamos, alguns dos melhores dias da minha vida.

Coração apertava, Alex teria que voltar, a saudade escorria pelos olhos.

No aeroporto, nos despedimos com um abraço apertado, eu disse: "Vou te ver em breve, passaremos meu aniversário juntos".

Com carinho e amor para Alex,
Hicléia.

DOIS AMORES

Hilda Chiquetti Baumann

Bombinhas, 28 de agosto de 2022

Querido Heinz,

 Espero hoje, dia do meu aniversário, ganhar de presente de ti um sonoro *siiim* no cartão da flor.
 Hás de me ajudar a terminar mais um livro. Pois creio que, para que ele fique bom, nele falta passar o teu olhar, aquele que sempre vem em meu auxílio.
 Teu bom gosto é extraordinário para julgar as coisas que escrevo. Por isso eu te escrevo.
 Baumann, sei, a tua crítica é carregada, ela às vezes até me emociona, ultrapassando a minha razão. Mas eu gosto disso.
 Também quero destacar o teu aprimorado senso crítico. Ele vai além da tua colaboração. Sem nenhuma pretensão, a não ser literária, teu empenho nos detalhes, diagramação, orelha e na contracapa de cada edição me encanta. Foi assim nos trabalhos anteriores. Dada a tua dedicação, o resultado foram livros bonitos e bem elaborados.

Certa de que estaremos juntos em mais essa obra, garanto que nos divertiremos, envelhecendo no embalo dos versos. Juntos, morreremos lendo.

Por enquanto é isso. Espero que, algum dia, "num estalo eu aprenda". Só que hoje ainda meus versos e meus verbos aguardam por ti. Ansiosa para publicar mais um livro de poesia, conto contigo, meu querido parceiro.

Dizer que eu te amo seria demagogia, ilusão para te seduzir.

Por isso nesta cartinha vai agora teu abraço.

Outros detalhes nos falamos aqui, onde fico pensando nos meus dois maiores amores, livros e tu, o que mais posso dizer?

Ainda apaixonada,
Hilda.

CARTA AO MEU PAI
Isabel Fontes

Meu Querido Pai,

Sempre que penso em ti, lembro de todos os sonhos que você me garantiu, protegendo-me do mal.

Sempre que penso em ti, lembro da sua preocupação, do seu sorriso e de como ríamos juntos quando assistíamos a um filme de comédia.

Sempre que penso em ti, lembro-me dos muitos sítios que me deste a descobrir com tudo o que me ensinaste através dos livros que me ofereceste, com as viagens que fizemos à Feira da Ladra e todos os domingos a ouvir música, desde Queen até Dire Straits.

Sempre que penso em ti, lembro-me de como foi a primeira vez que me olhaste com esses teus olhos enormes e pestanudos e me disseste o quão orgulhoso estavas de mim. Ainda hoje sonho em recuperar esse olhar.

Sempre que penso em ti esqueço todas as minhas tristezas, meus maiores medos e enfrento tudo e todos os meus medos. Eu posso até voar!

Sempre que penso em ti, e se pudesse voltar no tempo por alguns instantes, gostaria de poder voltar a ser criança e balançar em seu braço. Tu parecias um gigante. E ainda és o meu herói!

Sempre que penso em ti, meu querido Pai, desejo-te um mundo de sonhos realizados.

Eu te amo muito!

Um beijo da tua filha "mais velha".

Isabel.

VÍCIO
Isabelle L. C.

Para a minha Adri.

    a lua estava linda. o céu limpo. a gente conversava sobre qualquer coisa para preencher aquele vazio de tensão entre nós. mas tudo o que eu queria naquele momento era te beijar. segurar seu rosto e puxar para perto do meu. sentir tua respiração se confundir com a minha.
    queria sentir tua língua me contornando, nossas cabeças se movendo em perfeita sincronia. uma sensação de desespero me invade quando tua boca se afasta. porque eu quero mais, eu sempre quero mais (tudo, pra mim, ainda é pouco). mais de ti, mais dos toques, mais da sua mão na minha coxa (eu sempre imploro para que ela suba mais um pouco).
    quero sentir mais pele, menos roupa, mais perto, menos longe. quero sentir tuas mãos me pegarem em todos os lugares do meu corpo. quando tu seguras a minha cintura, eu sinto que eu importo. seu hálito sabor menta, o cheiro de banho e shampoo do seu cabelo. mesmo no meio de uma multidão eu sentiria sua presença, como se uma corrente de eletricidade invisível estivesse nos conectando de alguma forma.
    toda vez que você encosta em mim é como se essa corrente fosse de ferro e eu levasse um choque. um choque bom. daqueles que te tiram e te colocam de volta na realidade no mesmo segundo. daqueles que me fazem sentir tanta necessidade de ti. sim, necessidade. de te ter dentro, e fora, e dentro e fora. e dentro de novo. pra sempre.

é como se fosse uma dança, é como aquela música, é como se eu só soubesse dançar com você. ficar sem ti é sofrer de abstinência. se ela é o que sinto longe, obsessão é o que sinto perto. porque não há nenhum outro nome para isso. na verdade, eu não quero dar nenhum outro nome (você sabe, ainda é cedo, muito cedo).

é vício.
com saudades, Isa.

UM AMOR NO TEMPO...
Joice França

Cajamar, 1º de maio de 2023

A um amor,

    Escrevo esta carta para eternizar um amor.
    Como remetente do afeto e da esperança, ainda carrego em mim as memórias da pequena criança.
    Que essas palavras alcancem um destino, que o vento leve ao encontro do coração que nesta vida foi o meu ninho. Que quando fez frio lá sempre esteve quentinho, e que quando faltou chão alguém me segurou pela mão.
    Hoje pertenço ao meu universo que transborda de amor, e devo a lição que a vida é para quem sabe viver, que para ser não basta querer, e que ganhar faz parte da arte de lutar.
    Eterna será em meu coração e feliz sou por ter você aqui, meu maior amor, por você sou o que sou.
    O seu cheiro, seu sorriso e até seu grito me provaram que não é o preço... é o valor.
    Fez a minha vida inteira especial; não me deu excessos, melhor que isso: me deu o necessário, e com isso descobri o essencial.
    Bem-aventurada sou eu por trilhar esta vida com você, por ter sido hóspede em seu ventre, por ter em mim traços da sua jornada.

Fez-me a mulher que sou, o amor que faz morada em mim o tempo não desgasta, você cultivou.

Obrigada por existir, Mãe.
Te Amo.
Joice França.

DECLARAÇÃO INUSITADA DE AMOR POR VOCÊ

Joice Malta

Barra do Piraí, 09 de julho de 2023

Meu querido Ítalo!

Estou tremendo por tanta emoção. Enfim, o grande dia chegou! O dia de me declarar para você de um modo inusitado: nesta carta de amor publicada neste livro.

Desde 2019, estamos conversando a distância e nesse "chove e não molha". Lembra das nossas conversas sobre concursos e gatinhos? Desculpas para ficarmos mais próximos um do outro. Valeu a pena, né?! Pelo menos eu acho, já que se passaram quatro anos e ainda mantemos o contato sem nos conhecermos pessoalmente. Claro que tivemos nossos momentos de silêncio total e afastamentos (mesmo a distância), com cada um vivendo a sua insegurança, seu receio e seguindo a própria vida.

Quis te procurar muitas vezes e não conseguia por medo, e sei que você também teve medo de me procurar. O que nos acalentou nesse período obscuro foi acompanhar os passos um do outro de alguma forma. Você observava as minhas postagens nas redes sociais e eu sempre procurava informações suas nas redes sociais dos seus conhecidos (você só vai descobrir isso agora!). Parece loucura, jogo ou diversão, mas foi necessário, porque somos reservados e tímidos.

Mas, enfim, a coragem veio e estou aqui falando, brevemente, o que sinto por você!

Te amo, Ítalo! Desde as vidas passadas...

Com certeza, esta carta chegará em suas mãos... Por meio deste livro, mas vai chegar... Eu sei que vai!

Com amor,
Joice.

QUERIDO BOSCO

Josie Silva

07 de julho de 2023

Querido Bosco,

    Ainda posso recordar com saudade todo o trajeto que fiz para chegar até você! Era o ano de 2017, eu estava bastante deprimida, vindo de um relacionamento fracassado, quando decidi que era hora de virar a página da minha vida: decidi, a fim de me encontrar, dar continuidade aos estudos, e mesmo sem conhecer Uberlândia, ou ter amigos ou parentes, tentar o doutorado lá. A primeira tentativa de ingresso passou perto, e no ano seguinte, tentei mais uma vez e consegui ingressar em um doutorado em uma universidade pública. No primeiro ano, deslocava-me de ônibus mais de 800 km, numa viagem de ida e volta semanal. No percurso, conheci uma orientanda sua de doutorado, e a proximidade com ela e o interesse de participar como ouvinte do grupo de pesquisa que você coordenava me levaram até você.

    Como professor da universidade, você coordenava um grupo de estudos com temática do meu interesse. Por um ano frequentei o grupo de estudos e não tive quaisquer interesses na sua pessoa. Estava compenetrada demais em dedicar-me aos estudos! Além disso, pairava no ar uma história que você era namorador e que sua ex havia feito uma colega nossa separar-se do marido por sua causa. Eu queria ficar longe de quaisquer confusões!

Talvez o interesse em você tenha surgido em um congresso nacional que aconteceu em Salvador/BA, em 2018. Ao ver você saindo do elevador, eu estava acompanhada de orientandas suas, que estavam bastante animadas ao encontrar você e correram ao seu encontro para te cumprimentar. Ali, entre elas, foi a primeira vez que eu disse (quase inaudível) que "ah, eu o pegaria!". Foi a primeira vez que demonstrei interesse em você, mesmo sem saber ainda.

Mas isso foi dito em tom confidencial, e você só soube disso tempos depois, quando já namorávamos. Soube por ti que, neste mesmo congresso, na área da piscina do hotel onde estava acontecendo uma exposição de livros, ao me ver com os braços abertos, você abriu os seus, esperando o meu abraço, mas não aconteceu: eu nem sequer o vi e você ficou no vácuo.

Nossa história, enfim, começou quando eu busquei sua ajuda com minha metodologia de pesquisa. Até aqui muitos podem pensar que fui sua aluna, mas não fui. Você gentilmente se dispôs a ajudar-me: marcou um horário na sua sala na universidade e realmente me orientou! Na hora de ir embora, insistiu em me oferecer carona. Hesitei, mas aceitei. Conversamos bastante no percurso e nos identificamos com cada assunto. A afinidade era tamanha entre nós!

Quando chegamos em frente ao meu prédio, desci, agradeci e me despedi de você! Mas você parou o carro e quis prolongar a nossa conversa. O problema foi que o sol estava muito forte e, como eu venho do interior de Minas, julguei educado convidar você para tomar um café e continuarmos o papo.

O café foi acompanhado de cuscuz, e a nossa conversa fluiu de uma maneira bastante agradável. Em dado momento, talvez já percebendo o clima de sedução entre nós, eu lhe disse num ímpeto que sabia que sua ex tinha feito uma colega nossa se separar! Queria te afugentar! Você me olhou bastante assustado, com os olhos arregalados como se me perguntasse como eu sabia disso. Depois, falei que não queria problemas, que tinha me mudado para Uberlândia somente para estudar... Mas, ao se despedir, você me agarrou e me beijou com volúpia e eu nem sequer quis resistir! O melhor beijo da minha vida todinha! Foi aí que tudo aconteceu entre nós... Depois desse dia, não passamos um único dia sem nos encontrar!

Namoramos por três anos e meio e foram os melhores anos das nossas vidas. Demorei 36 anos para encontrar o amor verdadeiro em você, quando você já tinha seus 58 anos! Não foi fácil namorar você, mas foi fácil te amar: apesar das investidas da sua ex, das vezes que você pisou na bola comigo, o nosso amor sempre prevaleceu, pois havia uma cumplicidade tamanha entre nós... eu te amava e você me amava e isso era tudo!

Adiantei minha defesa, por pressa de "pagar" logo o tempo do meu afastamento no trabalho. Nesse ínterim, voltei para minha cidade. Você ficou! Fiquei na expectativa da sua aposentadoria para vir, por um tempo, morar comigo. Depois, iria aonde você quisesse.

No melhor momento da sua vida, da minha vida, do nosso amor, infelizmente você partiu em um acidente, enquanto vinha ao meu encontro. Foi o pior dia da minha vida. Faz onze meses que perdi você e, nesses dias todos, tenho tentado seguir honrando sua memória e o amor lindo que construímos. Todos os dias eu choro de saudade. Enquanto choro, vou registrando as nossas lembranças em um perfil (@tateandobosco), para que, assim, eu possa sobreviver e ir me remendando para continuar seguindo.

    Todos os dias, eu te amo mais... Já falei que te amo muito hoje?

Com amor e saudades, Josie.

UMA CARTA PARA UM FILHO MUITO ESPECIAL

Jucimara Vergopolam

União da Vitória, 1º de setembro de 2019

Amado Filho Erick,

Ainda que eu não domine a língua dos anjos, ainda assim, vou me arriscar a traduzir em palavras o sentimento que acredito não ser só meu, mas de todos que te cercam.

Há 16 anos, você chegava às nossas vidas... minto, muito antes nós já esperávamos por você. Só não sabíamos como você seria, mas de uma coisa tínhamos certeza: nada mais seria como antes. Você, com sua forma especial de ver o mundo, nos apresentou um novo universo do qual não conhecíamos nada: sermos pais, família, de uma criança com autismo. E nos mostrou que existem muitas formas para se ver o mundo, afinal, ninguém é igual, então não tem nenhum problema em ser diferente.

Você mudou a nossa vida nos tornando pessoas muito melhores, muito mais humildes e conscientes, principalmente da fragilidade que é a nossa vida, e do quanto somos pequenos diante do grande desafio que é viver. Você olhou profundamente no fundo dos nossos olhos e nos provou que ser feliz é algo muito simples, nós é que somos complicados, e que tudo o que existe de mais importante cabe num abraço ou num sorriso...

Obrigada, meu filho, por todos os ensinamentos, por ser a nossa inspiração, nosso exemplo de superação, enfim, por todos os momentos em que você foi muito mais forte do que todos nós! Perdoe a nossa deficiência, a qual insistimos chamar de sanidade, pois muitas vezes ela não nos permite compreender aquilo que você todos os dias tenta nos dizer e nos ensinar sobre o amor, sobre não ter preconceito, não carregar mágoa, nem se lamentar...

É, meu filho, você cresceu... mas seu colinho sempre estará aqui!!!

Agradecemos a Deus por sua vida, e pedimos a Ele que continue te protegendo e nos iluminando para que, a cada dia, possamos ser mais dignos do grande presente que Ele nos deu: ter você como nosso filho!

Feliz 16 anos, Erick!!!

Com amor,
Mamãe, papai e toda a sua família que te ama muito!!!

MUDANÇAS
Kaique Fortes

Belo Horizonte, 28 de março de 2023

Para meus pais,

    Quando paro para pensar nas mudanças que já fiz, vejo que o objetivo sempre foi ser feliz. Já mudei de casa, apartamento, bairro, cidade, estado e por algumas vezes até de país. Acredito que não existe segredo, a dica é sempre escutar o que o seu coração diz. E nessas andanças por aí eu tracei meu chão de giz, conheci amores, amigos, cantei, dancei e pedi bis.

    Quando eu olho para trás, tenho orgulho da caminhada, teve choro e muito riso no decorrer dessa estrada. Lembro das escolas, amizades e até das namoradas, dos bombons e trufas vendidos, de uma TV 29 polegadas. Não me arrependo de nada que vivi, pois as coisas boas e as ruins me fizeram chegar até aqui. Teve tombo, palco, brigas, abraços e acidentes, poemas, fotos e músicas para aliviar a minha mente.

    Quando eu olho para frente, vejo que ainda tem uma longa jornada, mas a vida é uma surpresa, não dá para saber de nada. Desejo que minha arte chegue para um montão de gente e que cada foto, música e poema toque o coração e traduza o que se sente. Desejo ainda ser pai, avô e bisô, com um sítio para reunir a moçada, onde tenha família, violão, carinho e também a passarada. Se me perguntarem o que quero do futuro, eu só quero paz e amor e que ninguém precise de ouro para mostrar o seu valor.

Com muita saudade, do seu filho,
Kaique Fortes.

AMOR INVENTADO

Karen Moraes

São Paulo, dezembro de 2022

Querida Michele,

Talvez o amor não seja um salto do penhasco.

Talvez seja sobre ajeitar a toalha que você deixou jogada.
Ou sobre levantar com cuidado da cama para não te acordar.

Talvez seja sobre assistir a comédias românticas que você odeia.
Ou sobre incentivar sua paixão pela música quando você duvida de si.

Talvez seja sobre você trazer meu almoço quando estou ocupada demais para buscar.
Ou sobre eu não colocar cebola na comida porque você não gosta.

Talvez seja sobre perceber os detalhes para escolher os melhores presentes.
Ou sobre a lista dos seus desejos que eu criei para presentear você.

Talvez seja sobre os seus elogios surpreendentemente únicos.
Ou sobre deixar você confortável para desabafar comigo.

Talvez seja sobre as nossas diferenças irremediáveis.
Ou sobre as semelhanças incontestáveis.

Talvez seja sobre o conforto dos nossos silêncios.
Ou o barulho inesquecível das nossas risadas.

Talvez seja sobre seguir acreditando.
Ou sobre aceitar as coisas como elas são.

Talvez seja sobre a grandeza do extraordinário.
Ou sobre a simplicidade do ordinário.

Talvez seja sobre você, eu e o nosso caminho.

Em um amor real.
Sem contos de fadas.

Com amor,
Karen Moraes.

CARTA DE ALFORRIA PARA A FELICIDADE

Karina Zeferino

São Paulo, 26 de abril de 2020

Hoje eu renuncio à insana busca de te encontrar.

Recuso a luta que amarguei para me sentir bem somente na sua presença.

Entendo que quanto mais te persigo mais você foge e percebo o quanto é decepcionante estar em busca e não encontrar.

Sei que é irreal e até suicida a forma como nos instigam a te alcançar.

Hoje vejo que quanto mais quero te encontrar, mais paredes nesse labirinto parecem se levantar.

Desisto.

Não de você, sei que você existe, mas desisto de te encontrar.

Gastei energias acreditando que quando te encontrasse tudo seria diferente.

Me iludi que te encontrar era a única possibilidade para meu bem-estar.

Me feri quando tentei tirar do caminho tudo o que atrapalhasse a te enxergar.

Corri.

Lutei.

Caí.

Levantei.

Sofri.

Chorei.

Perdi.

Encontrei.

E como água você escorreu de minhas mãos.

Me decepcionei, frustrei, cansei.

Desisto.

Em algum lugar aqui dentro sei que existe, mas desisto da necessidade de ter você ao meu lado no dia a dia.

Talvez tenha criado a ideia irreal de que preciso de você porque não tenho nada.

Sem nada me sinto sozinha.

Sozinha dói.

E a dor é lugar que conheço, mas não quero estar novamente.

Tenho medo de me ver nua e você era a última roupa que me cobria de esperança para ver um eu além de um corpo envelhecendo, um coração retalhado e uma alma cheia de defeitos.

Talvez eu seja só um monte de ossos tentando me alimentar e me apropriar de você para ficar em pé.

Chegou a hora de parar de judiar de mim mesma e de te perseguir.

Te alforrio, te deixo livre, te deixo ir. Vou encarar o que sou sem o que inventei que seria com você.

Talvez a gente se esbarre por aí qualquer dia desses e vou ter muito prazer em te conhecer melhor.

Não tenho mais pressa, sei que só se faz visível a quem nem sabe que te procura.

Me liberto da ideia de que sem você não sei viver e te liberto da pressão de ter que estar comigo a qualquer preço.

Quando quiser estar comigo, bata à minha porta, terei aprendido a me ver, me ter e me amar sozinha e será um prazer deixar você entrar para compartilhar do que sou de verdade.

Karina Zeferino.

ESTRANHAMENTE
Karina Zeferino

Meu Trevo Marina,

 Estranhamente, eu não via problemas em seus olhares profundos, nem nas mensagens constantes que sempre me elogiavam.
 Estranhamente, nunca cortei qualquer aproximação, seja sutil ou não; nenhuma pergunta, seja particular ou não.
 Estranhamente, sempre gostei de te ouvir falar sobre sua profissão, admirava seu sotaque paulista e amava sua opinião inteligente acerca de qualquer fato que discutíamos.
 Estranhamente, em um dia qualquer você tocou meu braço e senti um calor percorrer meu corpo. Como a espantar qualquer pensamento, balancei a cabeça e segui como se nada tivesse sentido.
 Estranhamente, passei a querer estar ao seu lado, arrumar programas em sua companhia, desejar seu contato.
 Estranhamente, em uma noite enquanto você falava, eu só conseguia prestar atenção em como seus lábios abriam e fechavam delicadamente e uma vontade de beijá-la invadiu a alma como se meu único objetivo de vida fosse me aproximar da sua boca.
 Me segurei.
 Apesar de saber exatamente minha vontade, me faltou coragem.
 Estranhamente, para mim, éramos duas mulheres.

Um dia o silêncio se fez presente, os olhos se fecharam e nossos lábios delicadamente se encontraram, indicando que era natural como os corpos se encaixavam. Aquele momento experimentou o beijo mais suave, doce, meigo, quente e apaixonado de toda a minha existência.

De estranho nada mais havia, encontros, conversas, toques, sorrisos, descobertas, era tudo natural, a vontade real.

Trevo, tu desperta em mim um lado que não conhecia, vontades que não sentia e quereres que não sabia.

Completa o que nem me falta, enche meus dias da alegria que eu não vivia e preenche meu mundo com o que eu não via.

Faz com que me perca nas horas, me acalme no tempo e fique em paz com a vida.

Nossas imperfeições quando juntas são perfeitas.

Não há lugar no mundo em que eu queira estar onde não veja teu olhar e não sinta teu amor.

Meu coração bate forte e minha garganta tenta esconder o que meus olhos gritam:

Quero-Viver-Com-Você-Naturalmente-Pela-Vida-Inteira.

QUER CASAR COMIGO?

Seu Trevo,
Karina Zeferino.

PEQUENA IMORTAL

Kiirina

São Paulo, 1º de julho de 2023

Minha pequena e imortal Mars,

    Eu nunca soube se você sabia o quanto eu a amava, não sei se sou o tipo de pessoa que demonstra, sei que não sou de dizer, mas sua confiança em mim sempre me colocou em uma imensa zona de conforto. Sua confiança fazia eu crer que não estava deixando que te faltasse nada. Tivemos uma linda história, ah, e que história...

    O tempo parou e a dor chegou como um rasgo bruto sobre meu peito, meu coração se despedaçou e pensei que tudo que havia nele morreria junto, mas eu estava errado, eu continuo a amando e não tem como ter fim. Eu tentei não ser tão apaixonado, você facilitou balançando meus sentidos, mas eu teimei... Mesmo vendo você dividida, indo e vindo, como se pertencesse a dois mundos, meu coração sempre clamou por você.

    Eu a vi crescer e brincar com as luzes cintilantes do céu, o brilho do mundo refletia seu sorriso, seus olhos eram a escuridão da noite e, quando brilhavam, neles eu via o próprio nascer do dia. Confesso que eu me perdia no seu olhar e nele eu me encontrava no paraíso.

Quando perdi a luz dos seus olhos, os meus se apagaram, percebi que caí daquele voo alto e desmedido, quando você partiu tudo mudou... Não sei se foi o mundo ou se sou eu que estou diferente, nada mais tem a mesma beleza e encanto, os cheiros e sabores, nem mesmo as cores permanecem iguais.

Escrevo porque dentro de mim, onde não cabia mais nada além do amor que sinto por ti, a saudade tomou conta e eu luto todos os dias tentando silenciar meu peito na tentativa de sobreviver. Algumas vezes eu procuro por você e a encontro nas lembranças de momentos que vivemos. Tenho tantos desejos inalcançáveis, mas se eu pudesse conquistar um deles, seria a capacidade de parar cada segundo dessas doces memórias para viver eternamente ao seu lado. Quando penso nisso, abro um sorriso e então eu choro.

A amo sentindo sua falta,
Dity.

PARA AQUELA PESSOA ESPECIAL

Lee Soutto

São Paulo, 05 de julho de 2023

Olá, pessoa, tudo bem?

Todos vão perguntar o porquê da carta para uma pessoa sem nome; porque era assim que te chamava, lembra? Todos os dias, e você também me dizia: "Oi, pessoa". Seu bom dia, pessoa, sempre foi o meu bom dia mais alegre do dia.

Te mando esta carta, pessoa, com todo sentimento, para dizer ao mundo o quanto meu coração se encantou por você, se apaixonou por você no momento em que o viu pela primeira vez. Ah, mas só o meu coração se apaixonou nessa história; só o meu que se encantou por aqui.

Ah, pessoa, você foi aquele que encheu meu coração de alegria com sua presença de todas as manhãs, seu abraço me trazia borboletas na barriga. Quando você chegava perto de mim, o coração ficava acelerado e mexido com seu doce olhar ao meu.

Ah, pessoa, você pode ter sido o meu amor platônico, como me disseram, mas para meu coração foi um amor real de sentimento pelo seu coração e pelo seu abraço; pessoa, você sempre teve o melhor abraço de todos que já recebi de um bom dia.

Hoje te escrevo essa carta para dizer que você foi minha inspiração de todos os poemas de um dia de sol, o coração queria você como meu primeiro beijo.

Escrevo para você para dizer que sinto saudades sua e do seu abraço, sinto falta de você todos os dias de uma bela segunda-feira de sol... Ah, pessoa, o que o coração sentiu por você foi real, tão real que sonha todas as noites com você, e antes de dormir o coração pede para que os anjos te guardem todas as noites e protejam toda manhã.

Ah, pessoa, você não me amou como eu te amei, mas meu coração sentiu seu carinho enorme em todos os abraços que você me deu, simplesmente encantou o coração dessa delicada poeta.

Uma poeta que fica na saudade do que não viveu com você, pessoa, mas pode ter os abraços mais verdadeiros de todas as manhãs com você.

Encerro esta carta dizendo que fico feliz por você e que você consiga tudo de bonito nessa vida. Se um dia nos encontrarmos de novo, você poderia me amar, assim como eu amei você em silêncio.

Um grande beijo com carinho da sua poeta, Le.

PRÍNCIPE AZUL
Letícia Benny

Caro príncipe azul,

Hoje eu me despeço de você. E que estranho saber que amar também é deixar ir. Sabe, eu nunca acreditei em amor à primeira vista, tipo aqueles de novela em que um simples olhar se tem o desejo de ter a pessoa para sempre na vida, mas por incrível que pareça com você foi assim. Que irônico, não?

Quando seus olhos azuis se encontraram com os meus o mundo parou, foi como se todos os relógios congelassem naquele momento apenas para nos presentear com seus belos segundos, e assim como na TV o coração palpitou, as mãos suaram e as borboletas chegaram no estômago (juro que eu quis matar minha fada-madrinha). Foi um momento mágico, porém real, quebrando todo o meu coração endurecido, ao qual jurei nunca mais amar.

Eu me apaixonei por tudo em você; seu olhar, seu jeito, sua risada, seu modo de falar, seu abraço, seu beijo, ah, o seu beijo... o mais encantado de todos. O meu desejo era ter essa porção de encantamento por toda uma vida; era pedir muito? Pelo jeito era!

Te quis da maneira mais linda que uma pessoa possa querer alguém, minha maior vontade era entrar no seu reino e implorar para ficar, mas no fundo eu sabia que isso não seria o bastante. O futuro já estava escrito e uma bruxa cruel nos separaria para sempre. E, pelo jeito, você não seria forte o suficiente para lutar por mim (...) por nós.

Hoje eu não estou apenas te deixando, mas me libertando de você, minha carruagem para longe me levará. Entenda, você foi o instante mais lindo da minha vida, jamais te esquecerei.

Não fique preocupado, eu sei que meu coração partido não é suficiente para te dizer como me sinto, mas apesar dos apesares, eu vou ficar bem (desde que você esteja bem também).

Você é o amor que eu não terei oportunidade de viver, então viva, ame, celebre o sentimento mais lindo que existe, porque uma vida seria pouco para te amar, e eu te amo eternamente.

Sua princesa-estrela,
Letícia Benny.

CARTA ABERTA AO LU PELOS NOSSOS 11 ANOS DE CASADOS!

Li Ambrosio

Atibaia, 20 de junho de 2020
Ouvindo The Killers – "Mr. Brightside"

Lu,

Escolhi "Mr. Brightside" para relembrar da gente e deste show do The Killers que fomos em novembro de 2008.

Você já tinha me pedido em casamento havia 11 meses, durante nosso primeiro Ano Novo juntos, grudados, sorvendo a companhia um do outro. Ah, o início da paixão!

Lembro quando pus meus olhos em você e não conseguia parar de sorrir só por saber que você existia. Assim como você, eu também sabia de alguma estranha forma que seria você o dono dos meus pensamentos, da minha inspiração, do meu amor.

Onze anos depois, tantos endereços, tantas tentativas, tantos momentos incríveis e outros nem tão incríveis, fomos construindo e transformando este amor. Hoje, menos irracional e mais maduro, seguimos nos amando e nos respeitando na alegria e na tristeza.

Entre tantas músicas lindas que representam nossa história, escolhi essa porque, se fecho os olhos, vejo nós dois tão felizes naquele show. Relembro do perrengue que foi chegar a tempo, naquele fim de mundo, o tênis novo cheio de lama, aquela chuva; mas aí começou a tocar "Mr. Brightside".

A gente se abraçou forte. Nos beijamos enquanto cantávamos ao mesmo tempo. Eu me lembro da sensação de frio pela chuva, mas de proteção pelo seu abraço. Eu me lembro do quanto foi libertador cantar alto contigo.

A letra em si não é lá das mais positivas, confesso. Mas assim como no show, com tanta coisa para dar errado e para ser um evento furado, fizemos uma noite maravilhosa.

Tem dias que eu só penso neste futuro com mais liberdade de fazer o que quiser com você.

Tem dias que saber que temos nossa família é a calma na alma de que eu preciso.

Porque eu amo o conforto de estar ao seu lado.

Porque eu amo o nosso amor.

"Open up my eager eyes
Cause I'm Mr. Brightside"

Feliz todos os dias, meu amor.

Era amor antes de ser.

Pequena.

CARTA AOS MEUS FILHOS, BENÍCIO E MIGUEL

Li Ambrosio

Atibaia, 26 de janeiro de 2018

Beni e Mimi,

 Tem sido maravilhoso acompanhar de perto este desenvolvimento de vocês, do elo entre vocês, do carinho, do cuidado, mas também do ciúme, do egoísmo, da teimosia.
 São as fases da vida, meus amores.
 Crescer não é fácil. Vocês ainda nem sequer conhecem todas as emoções; estão aprendendo agora que cada uma delas é diferente.
 Beni, meu filho, você está tão independente! Quando acorda, já vai direto no seu guarda-roupa escolher o que vai vestir. Quando já está pronto, vira para a gente e diz: "Tô lindo, mãe?".
 Está, sim, filho. Você está lindo todos os dias.
 A mamãe diz que esta carta é para vocês, mas a verdade é que eu escrevo para que nada se perca de mim. Não quero esquecer que, pela manhã, vocês acordam e vão direto para a nossa cama para nos aconchegarmos.
 A gargalhada de vocês quando faço cosquinhas se começam a fazer manha é a melhor — e temos conseguido evitar assim algumas crises de birra.

Nesses dias de chuva que o sapo tem aparecido, vocês ficam superfelizes dizendo o quanto ele é fofinho.

Mimi, você já vai fazer 2 anos no próximo mês. Continua com aquela mania linda de fechar os olhos quando limpamos seus ouvidinhos — é uma carinha apaixonante!

Todo santo dia mergulha suas mãos e pés na água da Luna e da Paçoca, mesmo que a gente diga que não é para fazer isso.

Vocês adoram escalar a janela do meu quarto, fingindo ser o Homem-Aranha.

Adoram jogar bola. Andar de bicicleta. Mimi ainda fica bravo porque não consegue sozinho... não se conforma que o Beni já vai rapidinho com a dele, mas quando você fica triste, Mimi, ele sai da *bike* para te empurrar e te fazer feliz. E diz: "Calma, Mimi, eu te levo!"

E é por isso que eu escrevo... para não me esquecer de cada detalhe de tanto desenvolvimento, crescimento e amadurecimento.

Bom mesmo é ser feliz com a nossa família, vivendo esses dias comuns que são verdadeiras preciosidades para quem tem olhos de enxergar essa beleza.

Eu amo vocês. Do âmago. Da alma.

Mamãe.

DEPOIS DO ADEUS
Aline Alvina da Silva

São Paulo, 10 de fevereiro de 1975

Querido Vicente,

    Começo esta carta sem saber ao certo o que te escrever depois de tudo o que se passou entre nós...
    Mas, por meio desta, venho te recordar sobre aquele dia corriqueiro que marcou a última vez que nos vimos.
    Escrevo, recordando com ternura o olhar profundo com o qual me encarou em um momento sublime.
    Quem imaginaria que, naquelas intensas trocas de olhares, inconscientemente, poderia se decifrar o que apenas tempos depois eu viria a saber. Infelizmente, já em um momento tardio, tal revelação inesperada me pegou de surpresa, tornando-se por mim odiada.
    Revelação essa que o tirou de mim. Sem que eu pudesse ao menos intervir...
    Mas momentos que antecederam tal descoberta, antes que eu ousasse sonhar ou imaginar tal coisa inesperada. Muito se foi dito entre nós, mas nada que fizesse menção ao que por mim era tão desejado.
    Se eu ao menos tivesse me atentado a ler as entrelinhas daquela conversa, mas assim não foi.

Você não quis dizer. Em vez disso, preferiu guardar para si aquilo cujas palavras não poderiam explicar;

O que, sem saber, você deixara expressado em seu olhar;

Mas eu não quis ali acreditar em tal revelação indesejada, de maneira nenhuma.

Descobri então, sem querer, que meu amado não estaria ao meu lado, pois seria com outra que seguiria lado a lado.

Para mim, só restou me conformar com as circunstâncias que, além de inesperadas, se tornaram por mim detestadas.

Querido, te escrevo para expressar meus sentimentos em meio a todo o ocorrido, mas saiba que meu coração segue não sossegado, mas com a certeza de que o destino não falha. E se assim precisou ser, eu busco entender com a certeza de que, se algo for meu, o destino se encarregará de me trazer.

Por hora, termino estas linhas desejando tudo de melhor a você.

Até um dia, talvez, meu querido Vicente...

Com carinho,
Clarissa Almeida.

A MULHER QUE DEIXEI PARA TRÁS
Lis Gomes

João Pessoa, junho de 2023

Oi,

 Amanheci saudosa e me perguntei: *por onde anda aquela grande mulher que todos conhecemos?* Então decidi escrever para você.
 Lembra que você era toda energia? E contagiava. Ria até de si mesma, se amava. Cantarolava e dançava com músicas das mais diversas, sem ritmo, e isso não a incomodava.
 Quando o cabelo assanhava ao vento, você parecia toda assanhada... mulher tagarela, mutável e curiosa. Sua energia vital eram "gentes": diversas e falantes.
 A maldade alheia, que sempre existirá, não a perturbava, porque tinha uma doçura e inocência que nem combinavam com uma mulher madura, mas ensinaram-na a julgar... não era a mais linda, nem perfeita. Corria incansável para chegar onde nem você mesma sabia (ninguém sabe).
 Cada etapa da sua vida era uma festa. Se entusiasmava e comemorava (algumas vezes sozinha).
 Comer nunca foi seu maior e melhor exemplo, mas era saudável e mantinha seu corpo em movimento e entusiasmava e inspirava tantos.

E eis que chega o bandido... a primeira coisa que sentiu falta foi do brilho da sua pele. Seus cabelos não foram poupados, sua leveza, seu olhar. Sem piedade levou seu sono e com ele sua energia.

Antes seu desejo de liberdade confundia a si mesma, porque nunca gostou de solidão, mas a essa altura queria ser só. O barulho que a atordoava era o silêncio ensurdecedor e o larápio levou sua voz!

A mulher que conhecemos nasceu para amar, ser amada, mas já não é a mesma, e hoje sente uma dor profunda e não consegue falar: o medo de amar é maior do que de não ser amada.

Sinto tanto a sua falta! Tantas saudades... dê notícias e não se esqueça: amamos você!

Com todo amor,
Vida.

UMA SINFONIA DE BELIMBELEZAS PARA TE OFERECER

Lívila Maciel

Brasília, 29 de dezembro de 2022

Meu querido Meninozinho,

    Hoje é teu aniversário. É dia de festa: o coração de todos se alegra... O meu coração se alegra! É dia de agradecer a Deus pelas infinitas bênçãos de um ano inteiro. E eu agradeço!
    Que teu dia seja de brilhos e flores, de melodias e doçuras, de preces e encantamentos! Que o Amor — com seus mistérios e elã — seja sempre tua verdejante e rubra morada. Ah, como eu te desejo vida, com tudo de melhor que nela couber.
    Imagino-me (me imagine também) compondo uma sinfonia de "belimbelezas" para te ofertar: você tomando parte do corpo de baile da vida, bem aqui na terra e seus jardins-paraíso... você querendo mais é beber dos céus e terras, dos dias e noites, dos bichos e verdes, das águas e pedras, das brasas e brisas, dos lumes e nomes e numes... você semeando e colhendo os dias de viver e amar, em radiâncias e infâncias, travessuras e ousadias.
    Vejo (veja) as formosuras todas, "turbulindas", correndo adiante... guiando tuas travessias... explodindo alegrias... governando teus passos e horizontes. Elas, as "milmaravilhas" todas, me contam segredos... e eu escuto (você pode escutar!):

"Meninozinho, o Senhor te amou primeiro e, por escolher te amar, Ele te concedeu existência e valor. Bondade e misericórdia certamente te seguirão por todos os dias da sua vida!"

Estou aqui-ali-aí, rendendo graças, honra e louvor... "passando a mão nos cabelos de Deus!", como nos diz Manoel de Barros. É que eu só quero agradecer! A Ele, o Senhor da Vida: "Obrigada, Deus, por esse Meninozinho, amado meu, do centro, do sempre! Gratidão, Senhor, pelo meu Meninozinho que é canção de manhã nova... que é raminho de orvalho abençoador da vida de todos nós!"

Meu querido, que Deus te abençoe e proteja hoje e sempre.

Um abraço apertado, remolhados beijos e muitos "vivas" para você.

Tua meninazinha,
Lívila.

PARTE DE TI
Lolita Garrido

AO MEU AMOR,

    Cada instante em que me vejo
    Envolvida em teus anseios,
    Desse jeito, serei tua!

    E de mim, esperas doçura
    Sem nenhuma singeleza,
    Com tamanha desmesura!

Submissa a teus desejos
Porque são meus os teus...
Pois que sou parte de ti.

    E seguindo vou aos teus devaneios,
    Me deixando levar sem freios
    Aos teus anseios
    Desde que são meus!

                                    Com carinho,
                                                Eu.

RIO DE JANEIRO, MADRUGADA DE DOMINGO, MARÇO DISTANTE

Maria Braga Canaan

Meu amor,

As nossas conversas ao telefone têm sido fantásticas...

Sábado, depois dos telefonemas, eu fiquei sozinha pensando nas duas opções que me restavam: cair em depressão ou tentar sobreviver.

Felizmente, fiquei com a segunda opção e estou aqui, "inteira", te escrevendo.

Eu te amo e você me manda fazer um cursinho de inglês. Você pensa que o meu amor é falta do que fazer? Na realidade, não acredita que possa ser amado da maneira como eu te amo.

Confesso que tenho vontade de fazer terapia. Houve momentos, até, em que pensei estar ficando realmente maluca, mas cheguei à conclusão de que o fato de não querer abrir mão do sentimento que tenho por você não me torna uma pessoa louca. Infantil, talvez. Acho até que tenho me comportado como uma criança birrenta.

Você me conhece realmente? Eu te amo. O mundo está girando ao redor da minha cabeça e eu continuo te amando. Às vezes, fecho os olhos para o que não quero enxergar e continuo indo em frente. Até quando? Vivo chorando por sua causa. Sou uma pessoa sensível. O seu comportamento me fere. Felizmente, a vida ainda não me tornou uma pessoa amarga.

Será que eu vou morrer te amando?

Eu gostaria de encontrar alguém que gostasse de mim como eu gosto de você. E, no entanto, estou te sufocando... O amor é uma coisa egoísta.

Não me queira mal, me dê uma chance. Não quero promessas. Quero apenas uma chance.

Maria.

MEU AMADO JOÃO

Maria de Fátima Fontenele Lopes

Crato, 24 de junho de 2023

Meu amado João,

    Acordei no silêncio da madrugada com o coração partido de imensa saudade de você, meu pequenino João. Pudera eu conversar com você como fazia há anos. Impossível! Você se foi naquela tarde sombria e triste. Aquele trajeto tão perto e, ao mesmo tempo, tão longo, lágrimas desciam dos meus olhos, o silêncio era enternecedor. Meu grudinho, no banco do passageiro, inerte, calado, frio, sem vida. E eu com o pensamento nos muitos anos vividos ao seu lado.

    Fomos uma incrível mistura racional e irracional, dividimos o mesmo espaço, caminhávamos juntos, fazíamos raiva mutuamente, eu gritava e você latia nas horas de mau humor. Você e eu éramos a junção do companheirismo, do cuidado, do amor. Ah, João, quanta saudade eu sinto da sua presença, das suas fugidas, do meu desespero, da procura, do pregado de cartazes em cada rua, da agonia da noite e do feliz reencontro. Das nossas inúmeras viagens, da nossa felicidade na beira do mar, você correndo na areia molhada, tantas aventuras, tantos momentos inesquecíveis.

    Hoje, precisava escrever para você, falar o quanto você representou e representa para mim, quantas vezes larguei o trabalho para o socorrer, quantas noites acordada para colocá-lo no aerossol. Você ficou até onde foi possível, lutou bravamente para não me deixar. Mas eu tinha a ilusão que você ficaria mais tempo, que não partiria assim num repente, que você voltaria para casa como tantas outras vezes; num deu, né, João?!

Agora, você permanece aqui, no lado esquerdo do meu peito, na rosinha branca que floresce todo dia ao lado da minha janela, na borboleta que sobrevoa o meu jardim, no gorjear do passarinho, no lindo nascer do sol, na chuva fina, na brisa, no arco-íris no fim de tarde e no vento suave que traz o teu doce cheirinho para mim.

João! Você é inspiração, canção, poesia, o amor maior e mais puro que conheci e que guardarei no meu coração para todo o sempre.

Com infindas saudades, o meu eterno amor.

Sua mamãe,
Fátima.

A VOCÊ, VIDA DA MINHA VIDA

Maurício da Silva Lucas

Belém-PA, 30 de setembro de 2023

A VOCÊ, VIDA DA MINHA VIDA:

Alguém me disse certa vez, senhorita Vida, que é preciso ver com o coração, pois o essencial é invisível aos olhos. Mas sei, também, que eu não tenho necessidade de você.

E você não tem necessidade de mim. Mas, se você me cativa e vice-versa, nós teremos necessidade um do outro. Será para mim única no mundo. E serei para você único no mundo. Sou um pouco de todos que conheci, um pouco dos lugares que fui, um pouco das saudades que deixei, e sou muito das coisas de que gostei. Afinal, aqueles que passam por nós não vão sós. Deixam um pouco de si, levam um pouco de nós. Sem contar que você se torna eternamente responsável por aquilo que cativa. E a gente só conhece bem as coisas que cativou.

Graças a Deus, tive a liberdade de poder observar seu jeito fascinante de sorrir.

Liberdade que me levará a encontrar caminhos auspiciosos diretos ao seu coração.

Como leitor de Suassuna, corroboro a pulsar suas palavras: "O otimista é um tolo. O pessimista, um chato. Bom mesmo é ser realista esperançoso". E, nessa esperança, atrevo-me a buscar humildemente a igualdade perante o seu olhar, no intuito de conhecê-la mais e melhor. Aos meus oponentes, se porventura houver, um recado de coração: "Todos esses que aí estão atravancando meu caminho, eles passarão...

Eu passarinho!"

Celebremos a vida, as pequenas vitórias, o poder do amor.

"Esqueça essa história de querer entender tudo.

Em vez disso, viva.

Em vez disso, divirta-se!

Não analise, celebre".

E aqui estou a celebrar novos horizontes, desejoso de que o sol brilhe cada vez mais ao seu lado. Você é especial. Somos únicos. Nunca existiu uma pessoa como você ou igual a mim antes. Não existe ninguém neste mundo como eu ou você agora, nem nunca existirá.

Veja só o respeito que a vida tem por você, por nós. Celebrarei, sim. Sem medo de ser feliz, sem expectativas à toa. Bem... prazer, Vida!

Tim-tim a nós, *tim-tim* à vida.

Beijos e abraços!
Maurício Lucas.

AMOR INCONDICIONAL: UMA CARTA PARA MEUS FILHOS

Mel Moscoso

Rio de Janeiro, 10 de julho de 2023

Meus meninos,

Quando o amor transborda nascem os filhos, que mágico é ser a mãe de vocês. Um trabalho difícil, viu? Bem que a bisa dizia: "Ser mãe não é só dizer que ama". Descobri que ela estava certa. Como eu erro com vocês, não é? Quem não erra nessa vida? Por favor, relevem, tá?

A mãe tá aqui pertinho, sempre a um braço de distância para cuidar de vocês. Quando eram pequeninos, eu tinha certeza de que protegeria vocês de qualquer coisa, mas agora vocês cresceram e fico aflita por não ter esse superpoder, sinto que decepcionei vocês. Não se esqueçam de que ainda sou capaz de tudo por vocês.

São o orgulho da mãe, sabia? Dois bebês, dois meninos e dois homens. Voem alto, sonhem grande, aproveitem a vida, sigam juntos. Sou a maior fã dessa dupla, então quando o coração apertar, lembrem que eu amo vocês e tudo vai ficar bem.

Amei vocês no ventre, no nascimento, no crescimento e vou amar eternamente. Eu quase parti, lembram-se? O que mais me doía era não dar um último carinho a vocês. Esse não é o último, mas sendo por escrito, sempre poderão resgatá-lo. Então sempre releiam com o coração, que eu estarei pertinho.

Com todo meu amor,
Mamãe.

AUSÊNCIA AMOROSA, MINHA AVÓ EM MEU CORAÇÃO

Mel Moscoso

Rio de Janeiro, 21 de março de 2015

Amada vó,

Sempre tive dúvidas de como chegam mensagens póstumas, mas vale a pena tentar. Não tive tempo de agradecer e retribuir todo o amor dedicado durante sua jornada.

Vó, deu certo, todo o seu esforço foi recompensado e hoje eu entendo todo o processo da minha educação. Tão jovem, falhei muitas vezes com você, mas agora me empenho em te dar orgulho e seguir seus ensinamentos. O Matheus está enorme, sabia? Você estaria tão orgulhosa, quer dizer, você está, né? Conhecendo a avó que eu tenho, não deve descansar um minuto olhando por nós.

Precisava dizer: "Descansa, vó, está tudo bem, agora deixa conosco. A saudade aperta e dói na alma, sabe? Um pedacinho meu se foi, mas olha, o mundo anda feio demais. Por te amar muito, escolho a saudade no lugar das tristezas de que você seria testemunha.

"Guarda um cantinho, que uma hora dessas eu chego para ficar com você e te contar todas as fofocas. Ah, você vai querer puxar muitas orelhas, não se esqueça de que te amo acima de qualquer coisa, você estará no meu coração além do meu último suspiro."

Com Amor,
Sua neta, Flavinha.

CARTA PARA O MEU AMOR-AMIGO
Naiana Pereira de Freitas

Salvador, 05 de julho de 2023

Querido,

  Sabe, tem gente que a gente encontra que não cria nenhuma relação conosco, tanto faz se a gente vê a pessoa todo dia ou se ela some pelo mundo. A gente não sente falta nenhuma. Agora, existem outras que a gente pode ficar sem ver um dia, uma semana, um mês e vai acumulando aquela saudade, e no dia que se encontra o mundo inteiro para por aquele segundo.
  Você faz parte deste grupo. E nossa convivência tem sido para mim de grande aprendizado. Não aprendi apenas sobre mim, mas sobre você, sobre nós. Sei que não é fã de novidade, precisa de um tempo para se acostumar com o novo que surge e muda a sua rotina. Eu, por outro lado, me acostumo mais rápido e uma novidade me impulsiona a novas rotas.
  Estive pensando em te dizer o quanto gosto de você, mas você sabe o quanto eu gosto. Sabe não porque eu disse, mas porque sente. Sentir talvez tenha sido o único contrato que assinamos sem testemunhas e bisbilhoteiros. Sentir é suficiente quando a gente precisa mesmo de alguém que nos escute, apoie e principalmente estabeleça uma conversa inteligente.
  Sei que tem dias que não quer sorrir; é tanta tristeza cristalizada que impede que você mostre os dentes. Mas eu, com

a minha espontaneidade, consigo quebrar esse gelo e aquecer o seu coração. E, quando eu estou triste, você me traz aquele abraço-algodão sem nenhuma palavra endereçada. Nessas horas o silêncio é suficiente. Quando entendemos o outro sem falar é porque sabemos percorrer os caminhos que fluem para fora do corpo.

Sei que sabe, mas quero dizer novamente: "Estou aqui para o que der e vier. Mesmo que diga não, vou dizer sim, porque existem contrariedades necessárias. Sei que sou a parte em você que não morre e sei o quanto você será o meu amor-amigo neste momento."

Te sinto!
Sua menina.

NOSSA MATEMÁTICA DO AMOR
Natalia Dozza

Amor,

Para escrever-te, busquei os versos de Vinícius de Moraes, os livros clássicos e filmes piegas, e o resultado foi triste: nem uma mísera linha para fazer graça saiu. Não há nas ciências humanas inspiração que acuda esta carta.

Muito provavelmente porque nada na nossa história seguiu o roteiro clássico dos romances e, na falta de manual, vou tentar a matemática.

A prova definitiva de que a ordem dos fatores não altera o resultado somos nós. Invertemos completamente qualquer ordem familiar e fomos de pré-papais para conviventes, de conviventes para noivos e de noivos para oficialmente casados.

Nesses anos, outras variáveis foram agregadas à nossa maluca equação: filhos em progressão aritmética, cachorros em progressão geométrica, juros de financiamento, quilômetros de viagens... Números simples e complexos, pares e ímpares, perfeitos e imperfeitos... Iguais a nós.

Não trocamos as alianças por um relógio (o que seria mais prático) e assim ficamos sem ter como contar o tempo. E quem precisa contar o tempo quando temos os meninos nos mostrando todo dia como esse tempo passa rápido? E lá se foi o tempo do berçário, da escolinha, já foi metade do fim de semana e chegamos à incrível marca de 13 anos juntos.

Não somos almas gêmeas, não somos a metade da laranja ou a tampa da panela. Somos duas linhas paralelas que foram crescendo e seguindo lado a lado, respeitando suas larguras e espaços, aproveitando o caminho e seguindo um percurso que nem sempre foi fácil.

Estaríamos aqui se alguma variável tivesse acontecido de outro jeito? Se o multiverso é real, pode ser que exista uma versão minha jornalista e uma sua diplomata, mas se são felizes nessa realidade, não sei...

Só sei que, no meu multiverso, no nosso universo, nossa união desafia a lógica, a racionalidade, as receitas de estrogonofe, os mitos, os livros e os búzios, e mal posso esperar para ver para onde nosso infinito particular ainda vai nos levar.

Com amor (mais exato do que qualquer fórmula),
Natália (quase PhD).

PREZADO "TI"

Neusa Amaral

Osasco, 05 de julho de 2023

Prezado "Ti"!

Maio de 2015. Ao navegar pela *net* em busca de uma palavra amiga, uma música, um pingo... que me levasse a um amigo especial, inesperadamente me deparei com uma idílica carta, na qual descrevias tua casa de campo, com ênfase ao canteiro de plantas, ao suave trinado dos pássaros, ao canteiro de mudas, entre outros...

Inimagináveis emoções senti. Entretanto, não pude te dar a resposta que tu merecias; visto que, naquele momento, era por outro que eu buscava.

Hoje, 8 anos se passaram, porém, tua missiva continua viva, como venda aos meus olhos. Novos olhos refeitos com um pouco do muito que me ensinaste.

Fato similar ocorreu em 1º de maio de 2017; de repente, do nada, surgiu outra carta que me arrancou lágrimas: "Te diré que si. Tomaré tu mano hoy frente al altar...!"

Lia e relia! Todavia, em segundos, toda essa euforia em desalento se transformava: não havia sequer uma pista sobre a autoria.

Inacreditável como certos fatos se repetem: em 1º de janeiro de 2017, o inusitado, inexplicável caso — Resorts

Búzios! Em 11 de junho de 2017, o fatídico "Ti"; em seguida, várias viagens, inúmeros eventos, várias correspondências: cartas-bilhete, mimos... tudo em vão. Uma delas devolvida, até hoje, está intacta. Outras, sequer o AR retornou.

Reflitas! Qual o prazer em despertar e cultivar o amor de uma mulher sem a mínima intenção de oferecer a ela a tua voz, o teu calor humano?

Outrossim: saibas que sentir-me-ei laureada se esta humilde cartinha se deparar com outrem que, assim como eu, queira partilhar com cumplicidade 1/4 de vida que ainda me resta, aqui no mundo terrestre.

Basta que me aceite tal qual eu realmente sou.

Eu me amo!

Palavras d'alma!
Neusa Amaral.

ENFIM... FOI O FIM

Suzane Lindoso

Recife, junho de 1988

Oi, Manuel!

Talvez você nem imagine por que está recebendo esta carta! Torço para que seja curioso o suficiente para abrir e ler. Reuni forças das minhas entranhas para registrar em palavras todo o meu amor por você! Não, não se assuste, é isso mesmo que leu: eu o amei com todas as veras do meu coração! Escondi este segredo até muitas vezes de mim mesma! Deixei escapar algumas vezes meus sentimentos, mas sua frieza e indiferença entraram como um punhal gelado, me tirando as forças e fazendo com que eu me recolhesse à minha insignificância.

E talvez você se pergunte: então o que houve para romper o silêncio? Pois é, agora que tenho certeza da total e completa impossibilidade de essa semente dar frutos, decidi abrir meu coração e deixar claro que todas as vezes em que dividimos o mesmo lugar — coincidentemente ou não — para mim foi como uma lufada de vento no meu rosto. Um vento delicado, que acariciava, me enchia de carinho, sentia que eu existia e isso me fazia bem demais!

Mas era nos separarmos e eu caía na real da minha vida solitária, impotente. Nem a lembrança de sua imagem, fixada em minha memória com *SUPER BONDER*, era suficiente para aliviar minha dor.

Só me restou como alternativa o afastamento, o que me trouxe mais dor e sofrimento. Parecia que o ar faltava. Era tão difícil respirar! A respiração ofegante me deixava cada vez mais inerte. Mas claro que eu tinha esperança de que tudo passaria com o tempo. Quem nunca ouviu essa máxima?

Doce ilusão! Fui viver minha vida, que agora se resume a ir trabalhar e voltar para casa. Sem amigos, sem conversas... E aí entra a motivação desta carta: meu coração virou pedra. Ou melhor, válvula. Isso mesmo, apenas serve para bombear sangue. Nada mais de amor ou qualquer outro sentimento. Ele só carecia de um único alívio: que você soubesse do amor que te dedicou anos a fio.

Sei que nada mudará para você, contudo, para mim, foi libertador!

Um abraço ou, até mesmo, um aperto de mão.

Nina.

CARTA DE AMOR, DA INQUIETAÇÃO AO PARADOXO

Pandora Sánchez

Manaus, 07 de julho de 2023

Meu amado Nel,

Sei que estarmos casados é a consolidação do nosso amor, porém preciso dizer-te que estes anos em que eu deveria me acostumar com nosso amor, simplesmente me surpreendo diariamente com o quanto ele aumenta e se fortalece ao dormir e acordar sentindo você perto, acariciando meu cabelo até eu adormecer todas as noites.

E pensar que nunca acreditei nesse tipo de Amor, mas agora reflito sobre o quanto você esteve na minha vida antes de nos conhecermos pessoalmente. Lembre-se de que não importa a idade que tenhamos, sempre me recordarei de suas visitas angelicais durante meus sonhos e momentos de Vazio, Angústia, Dor, Tristeza e Solidão na infância.

Sua forma de me cuidar e proteger são combustível para eu me levantar da cama, trabalhar e resistir a tudo; seu jeito de cozinhar para nós é um afago na alma, ver como se atenta aos detalhes e tenta agradar nossas meninas; seu sorriso lindo e energizante me fortalece diante de momentos sombrios; seu olhar tímido e pacífico me dá perspectivas distintas e complexas; suas mãos, com almofadas naturais nas pontas dos dedos como patas de gato, me acalmam e encantam... Gostaria de expressar o quanto você me faz feliz e o quanto me apaixono a cada ano mais, por tudo o que você é e representa na minha vida!

Precisei passar a vida toda até 31 anos sendo cética sobre o amor; atrasar minha formatura na faculdade; casar uma vez; ter duas filhas (mesmo evitando ao máximo engravidar); viver infeliz no primeiro casamento; separar-me e viajar ao Canadá para descobrir que você, de fato, existia e não era só uma ilusão, uma criação do meu eu lírico em minha infância e na juventude, em 2007, na faculdade, de camisa azul, sentado, tomando café de costas sem me ver, e quando voltei, havia sumido...

Eu amo você quase como:

um cachorro ama ter sua barriga acariciada;

uma gata ama entrar numa caixa quentinha;

uma flor ama desabrochar e ser cheirada;

um hamster ama correr na sua rodinha;

um mosquito-da-dengue ama água parada;

uma criança ama presente, doce e paçoquinha;

Quase, pois meu Amor transcende Poesia rimada...

Perdão por falar tanto, apenas tento (em vão) mostrar a intensidade do meu Amor por você, a complexidade que só nós dois sentimos, vivemos e usufruímos. É possível? Não sei! Até agora não consegui! Só consigo beijar você todo dia e repetir minha eterna resposta: eu te amo muito mais, meu Amor!

Beijos apaixonados.

Sua esposa, namorada e amiga, Pri.

PARA O MEU BEBÊ ARCO-ÍRIS
Paula de León Gobbi

Santana do Livramento-RS, 29 de junho de 2023

Querido Lui,

Escrevo esta carta para que saiba que a nossa história de amor teve início muito antes de você nascer...

Durante nove meses nós lutamos juntos, eu por você e você por mim. Eu queria tanto ser sua mãe e, ao ver o seu esforço para permanecer, percebi o quanto você desejava ser meu filho.

Embora estivéssemos ligados pelo cordão umbilical, o amor que nos unia transcendia o físico, nossa ligação ia além, tanto que conseguimos vencer. Nosso amor foi mais forte!

Ao final daquelas quarenta semanas você chegou, nos vimos pela primeira vez, eu estava com medo, mas você se sentiu tão à vontade comigo, parecia tão seguro nos meus braços que me fez entender que eu era seu lugar seguro, era a sua mãe!

Lui, fique sabendo que seu amor me transformou, com você fui mais feliz e completa.

Em breve não serei mais o seu mundo, você está crescendo e sei que as coisas mudam, mas quanto a mim, manterei viva em minha memória as palavras desta carta e a chama desse amor aquecerá o meu coração para sempre.

    Obrigada, filho.

Com amor, sua mãe,
Paula de León Gobbi.

QUERIDO SAGITARIANO

Rafa Coelho

Belo Horizonte, 10 de julho de 2023

Querido Sagitariano,

"Something is rotten in the state of Denmark", Hamlet, *act* 1 *scene* 4/5.

Há traição, vingança, moralidade. Quase a nossa mesma realidade distópica, no fim todos acabam mortos, e aqui no nosso portal estamos tentando ficar vivos. Há algo de podre na Terra, mas não no nosso mundo paralelo, virtual. Teu erro foi teclar em 2019, 2020, 2021... Seu dedo escorregou todas as vezes? Teve toda uma *mise en scène*: "De onde te conheço?" Talvez não! Talvez seu dedo tenha escorregado mesmo.

Não há nada de errado! O seu zodíaco não o deixa ser preso a nada ou a ninguém. A água que corre no seu mês apaga a chama do meu? Sei lá! Astrologicamente amo sua inteligência, e você (dizem), a minha profundidade, na amizade nos damos muito bem, obrigada! Dizem que a nossa grande diferença astrológica é que eu consigo ver exatamente quem você é, e você? Acha que consegue me ver. Tem outro aspecto interessante: somos curiosos! Sim! Parece que quem escreveu o livro dos signos nos leu primeiro. Sagitarianos são curiosos à toa e escorpianos não! Compulsão por investigar, conhecimento é poder (sei bem disso!), e o sagaz sagitariano? É irritantemente obscuro, sai pela tangente, é racional! Na numerologia somos iguais! IGUAIS! Gostamos de aproveitar a vida e vivemos o momento presente. Temos uma "aura" positiva que nos envolve, talvez por isso aquela escorregada no teclado esteja sendo legal! Richard Bach já dizia: "Podem os quilômetros separar-nos realmente dos amigos? Se quer estar com Rae, já não está lá?" Já estamos! Agora é tarde! Podemos ser personagens do nosso "portal secreto", quem sabe não dará um livro? Mais tarde, como continuará? Blasé? Terá coragem de continuar esse livro ou pedirá desculpas? Vamos fechar o portal ou abrir de vez? Na escrita a gente é livre, nesse livro a gente é livre! Não fiz copidesque. Corrija o português.

Sua noiva.

TALVEZ VOCÊ NEM ABRA, MAS GOSTARIA QUE SOUBESSE

Rodrigo Page

Estava limpando minha estante de livros quando notei que havia um faltando e me perguntei com quem poderia estar emprestado... Até que lembrei que ele não foi emprestado. Era o livro que te dei na última vez em que nos encontramos. Nós nunca conversamos desde o que aconteceu, mas eu queria poder me desculpar com você. Alguns anos se passaram e hoje vejo que não foi certo ter te afastado. Nós estávamos bem, mas a forma como tudo estava intenso e rápido demais de algum jeito me assustou e ativou um "alerta" na minha cabeça.

Eu não estava em um bom momento, havia acabado de descobrir que tinha um transtorno de ansiedade e, por mais que você gostasse muito de mim e estivesse disposto a enfrentar isso para estar comigo, eu só conseguia pensar que você não merecia passar por aquilo tudo. Eu acreditava que não era justo te "arrastar" para os meus problemas. Mas hoje vejo que não foi o certo.

Uma relação não depende exclusivamente de uma única pessoa. Afastando você de mim, eu anulei o seu direito de escolher o que fazer.

Apesar de eu sempre tentar fazer com que tudo seja bom com as pessoas com quem me relaciono, isso não quer dizer que eu não possa fazer algo de errado ou que prejudique a relação.

Então eu queria pedir desculpas a você por não ter respeitado sua escolha. Eu escolhi por nós dois, e agora nunca vamos saber o que poderíamos ter sido ou o que teria acontecido.

Enfim, espero que você e sua família estejam bem. Preferia te dizer isso de outra forma, mas não tenho como, então estou enviando esse e-mail.

Rodrigo.

BACK TO 505
Samantha

Universo Paralelo, julho de 2023

Hey, Theo!

Você acabou de ir dormir.

Enquanto pensava no quanto minha vida ganhou cores completamente diferentes desde o nosso encontro, me deparei com um convite.

Como você bem sabe, não sou de ignorar convites interessantes, ainda mais esses vindos assim, do absoluto nada! Alguns chamam de algoritmo, outros chamam de destino... "Escreva uma carta para o seu amor!" foi o anúncio no Instagram que me impactou. Nesses tempos modernos, parece que o passarinho verde anda vestindo outros disfarces pra tocar a gente e lembrar da importância do que não conseguimos esquecer.

E eu só me lembro de você.

Vejo você quando durmo — já que volta e meia me brinda com uma visita nos sonhos.

Sinto você enquanto trabalho — na minha vida criativa, te ver como inspiração é rotina.

Me imagino com você quando cozinho, quando passeio, quando leio. Quando gosto do que estou fazendo, é em você que eu penso.

Toda vez que me percebo comigo, atenta e consciente, te sinto também.

Não poderia ser diferente, já que aprendi contigo a preciosidade do momento presente!

Te recordo, ainda, quando a ausência pesa.

Quando, no meio do devaneio, a realidade me pega.

Relembro nossos beijos, me arrepio e me entristeço.

Teu toque e nossos anseios, tantos ainda por fazer...

Não te ter por perto é difícil. É complexo.

E, mesmo assim, nunca me senti tão plena de mim.

E esse efeito quem me traz é você.

Quanto mais te mergulho, mais eu cresço. Ganho espaço em sentir, em sentido.

Quanto mais te compreendo, mais me reconheço.

Nunca antes fui tão amada assim.

Enquanto de longe conversamos pulsantes, sentindo o dia, implorando para não terminar, eu vejo.

É você.

E sou eu.

Na sua próxima primavera, quem sabe...

Comigo.

Presente.

Que a Deusa e todos os planetas me ajudem naquilo que tanto desejo te confessar.

Sem universo paralelo.

Sem distância e cenário complexo.

Ao vivo, com trilha e com cores. Clichês, arrepios, flores.

Eu te amo tanto. E quero mesmo é te orbitar.

Um beijo, com desejo de ser e estar,

Sam.

AS MALTRAÇADAS LINHAS
Solange Carneiro

Querido Amor,

Faz muito tempo que não escrevo essas "maltraçadas linhas", como dizia a música que mamãe insistia em me fazer tocar no violão, e dela sorrisos eu recebia.

Já que hoje, em 2023, escrever cartas e colocá-las no correio se tornou uma prática que cai em desuso mais e mais. Então ter a oportunidade de enviar para você dá a estas linhas um toque de romance, nostalgia, as letras colocadas no papel dão suavidade e a vaga sensação de ouvir em sua mente minhas palavras.

O motivo de escrever esta carta, como fiz em tantas outras que nunca enviei, foi organizar meus pensamentos e, com isso você, ao recebê-las, poder me conhecer melhor e fazer crescer nossa intimidade, intimidade essa entre dois corações.

E a pergunta é: como vai você? Como vai aí dentro de você? O que tem feito que faz você se sentir mais perto de si mesmo? Quais foram suas descobertas interiores? Fez alguma?

Aqui estou buscando palavras bonitas, expressões de ternura, uma sequência que ao ler entoe seu coração e sua alma.

O que escrever sobre o amor, quando todas as expressões externas apontam para outra direção?

Parece mais como eu te quero porque você satisfaz minhas necessidades, preenche o espaço vazio em uma casa, companhia para festas, casamentos. E aquele tipo de amor, aquele lá que hoje e sempre é o mais difícil de se cultivar, aquele que te preenche, que satisfaz a necessidade de ser um novamente?

Sabe de qual estou falando, né?!

Momentos em que somente um olhar trouxe você para mais perto do meu coração, na linguagem do silêncio, nas vezes em que o medo me sacudia, e sua voz e sua presença valeram mais do que tudo.

Esses momentos em que falar eu te amo não soou como eu te quero, mas como uma profunda conexão, uma comunhão, uma gratidão profunda, sublime sentimento que traduz tanto.

Muitas vezes te peguei olhando para o vazio, e fiquei pensando, o que será que está pensando? Quais são seus sonhos reais, como é seu mundo interno? É questionador como o meu?

... Ao navegar por tantos mares, ao chegar na ilha dos seus pensamentos, minha real vontade é poder atracar meu veleiro e mergulhar nas águas de suas experiências e andar nas terras do seu ser, indo além da convivência rasa, onde falar sobre o tempo e as notícias trágicas dos jornais é desnecessário.

E sim falar a linguagem mais elevada que quebra a ilusão da separatividade que nossos egos insistem em mostrar.

Onde o Eu termina e começa o Você e onde termina o Você começa o Eu, nessa infinita dança, símbolo do infinito, essa troca constante de energia onde nos mesclamos e nos tornamos um.

E, assim, sou grata por seus olhos por estarem lendo estas linhas escritas em uma língua que você ainda não compreende. Talvez usar o Google para traduzir do português para o inglês ajude (risos). Mas de qualquer forma vai perder a entonação e o ritmo que as palavras em português dão.

Eu aqui rindo de ver você fazendo isso.

Enfim, vou me despedindo agora, até breve, não se esqueça de me trazer o chá, aquele favorito, aquele lá no armário da cozinha, segunda prateleira à esquerda... e um pedaço da torta de maçã que preparei ontem.

Muitos beijos,
Solange.

O MEU AMOR, QUE O TEMPO NÃO LEVOU
Terezinha de Jesus Ferreira

Recife, 25 de janeiro de 1980

PARA: VICENTE, O MEU AMOR QUE O VENTO NÃO LEVOU.

Bom dia, querido amor da minha vida, Vicente, espero te encontrar bem, feliz e com bastante saúde. Estou te escrevendo porque hoje estive olhando algumas fotos que me trouxeram boas lembranças dos momentos apaixonados que vivemos, a começar pelo dia do nosso casamento. Como estávamos felizes e preocupados com toda a organização festiva. Você lembra do fato bem interessante que aconteceu? Bom, na pressa para não me atrasar, cheguei primeiro que você. Foi muito engraçado uma noiva ficar dando voltas na cidade até o noivo chegar, e as pessoas que olhavam sorriam e comentavam sem entender. Recordo a nossa cerimônia tão diferente, pois entramos juntos, de mãos dadas, contrariando o protocolo cerimonial. Casamos no horário vespertino, e como testemunhas tivemos 24 casais para assinar, ufa! O padre quase teve um infarto ao ver tanta gente, mas ficou tudo lindo e organizado.

As lembranças trazem a saudade dos nossos encontros que eram, de certa forma, às escondidas, pois a minha mãe não aceitava o meu namoro com você. Quantas vezes fiquei proibida de sair com minhas amigas, lembra? Uma vez fomos ao cinema e, quando voltamos, de mãos dadas, a minha mãe estava no portão, então ela me olhou com um ar de desprezo e quando entrei em casa levei uma reclamação e apanhei, literalmente, por amor a você. Assim mesmo, nós não desistimos de lutar por nosso amor, isso só nos deixou mais apaixonados e foi então que resolvemos enfrentar a minha mãe.

Como você não podia ir à minha casa, eu ia à sua para namorarmos na época, mas essa atitude não era comum para uma moça. Mas como poderíamos nos amar e cultivar esse amor?

Meu amor, quantas situações de conflito passamos, e hoje, depois de 41 anos de casados, construímos uma vida, com dois filhos e três netos. Alguns amigos me perguntam o que faz um casal com três anos de diferença de idade permanecer firme no amor, passando por momentos de conflitos familiares e hoje estarem juntos? Reflito que só tem uma razão para isso, que é a certeza de te amar profundamente e pensar que o nosso amor "seja infinito enquanto dure", como dizia o poeta Vinicius de Moraes, e percebo que nem os ventos fortes que atingiram nossa vida conseguiram nos levar para outros caminhos.

Com o coração cheio de saudades aguardo o nosso encontro com muita paixão, quando poderemos nos abraçar, beijar e viver plenamente o nosso maravilhoso amor.

De sua amada,
Terezinha de Jesus Ferreira.

QUERIDO FELIPE
Vera Lucia Moreira Silva

São Paulo, 10 de julho de 2023

Olá, filho!

 Como você está? Hoje acordei saudosa e relembrando tantos momentos vividos. Peguei alguns álbuns e encontrei sua primeira foto. Era 31 de maio de 2002 quando te peguei no colo e olhei pela primeira vez seu rostinho. Então meus pensamentos discorreram pelos seus passos iniciais, quando lentamente você, titubeando, corria pelos corredores de casa. Relembrei seu primeiro dia de aula, a natação, as primeiras palavras e a leitura feita com precisão.
 Que saudades, querido. Espero ansiosa por suas férias da faculdade e seu retorno para casa. Quero novamente tomar nossos drinks não alcoólicos tagarelando por horas, observar a lua e as estrelas, falar de assuntos bobos e sérios, seus projetos de vida, sorrir, gargalhar. Ser mãe e filho estranhos aos olhares alheios, porém de um relacionamento profundo e sincero que apenas nós podemos entender.
 Sabe, filho, por muitas vezes durmo em seu quarto, sim, lá ainda tem seu cheiro, seus objetos pessoais que, por muitas vezes, deixo desorganizados, sua cama descoberta, tudo para dar a entender que você ainda está em casa. Veja os sofás da sala de TV organizados para nosso cinema e sinto o

cheiro da pipoca que você tem uma forma especial de fazer. Que delícia. Hummmm!!!

Te amo tanto, meu amor. Oro tanto pela sua vida, pelos seus planos, e espero ter você em casa novamente.

Abraços de sua mãe,
Vera Lucia Moreira Silva.

A CARTA QUE EU QUERIA RECEBER
Victória Braga

Brasília, 12 de junho de 2023

MEU QUERIDO MILAGRE,

Mesmo hoje (Dia dos Namorados) sendo obviamente uma data comercial, eu não ligo de ser o mais ridiculamente apaixonado de todos. Pois vou usar essa data para expressar toda a pieguice que sinto por nós. Vou comprar bombons em formato de coração, vou te mandar flores e um ursinho de pelúcia com um "EU TE AMO" bordado. Vou te enviar uma mensagem de bom dia cheia de carinho, vou escolher cuidadosamente uma música que traduza meus sentimentos por você.

Quando nos encontrarmos, vou te dar um beijo daqueles de cinema e te fazer uma massagem como se pudesse imprimir minhas digitais no seu corpo e, quem sabe, até na sua alma. Vou preparar um delicioso jantar enquanto você sorri e me observa, degustando seu vinho preferido. Vou registrar essa imagem no meu cérebro e nesse momento serei o cara mais feliz do mundo.

Depois do jantar, vamos nos deitar e compartilhar segredos íntimos e fofocas do dia enquanto mapeio, com as pontas dos dedos, cada curva sua e cada detalhe do seu sorriso nos meus pensamentos. Quando nos beijarmos, vou querer me embriagar do teu sabor. Quando você adormecer agarrada em mim, nossas pernas entrelaçadas como se fôssemos a extensão um do outro, vou observar seu lindo rosto e saber que eu venci toda a minha falta de crença no amor. Pois encontrar você foi, sem sombra de dúvidas, um milagre da natureza. E, se preciso for, invento outras datas só para ter uma desculpa e manifestar todo o meu amor e devoção por você, por sua linda alma e por seu doce espírito.

Não vejo a hora de viver todos esses momentos com você.

Com muito amor e carinho
do seu mais apaixonado adorador,
M.P.

CARTA SOBRE A MINHA SAUDADE
Wanda ROP

Porto Velho-RO, 07 de julho de 2023

Inesquecível Lauro,

És o meu bem, minha razão de sentir algo tão forte e especial. Nesta noite silenciosa em que a saudade me envolve em um abraço delicado, entrego-me às palavras que fluem, em lembranças e anseios, rumo ao teu coração. A distância que nos separa aumenta a intensidade da minha saudade, que arde como uma chama inextinguível, consumindo-me por dentro. Entre São Paulo e Rondônia existe uma grande distância que me provoca tristeza.

Cada lembrança nossa se transforma em uma melodia, ecoando nos recantos da minha mente, acariciando minha alma com a doçura dos momentos vividos. Recordo-me do toque dos teus dedos nas minhas mãos, da suavidade do teu sorriso que iluminava até as noites mais escuras e da tua voz que sussurrava palavras de amor nos meus ouvidos.

A saudade, meu querido, é um vendaval de sentimentos e desperta em mim um desejo insaciável de estar ao teu lado, de sentir a proximidade do teu corpo lindo, mas o cruel tempo se move em câmera lenta, prolongando a espera pelo reencontro.

Nas noites solitárias, meu coração se volta para as estrelas que brilham no céu, esperando que os raios de luz encontrem o caminho até ti, levando a minha singela cartinha de amor.

A saudade, meu lindo, é o testemunho vivo do amor que nos une. É a prova de que o que temos transcende o tempo e a distância. É o sentimento que nos mantém conectados.

Enquanto aguardo pacientemente o dia em que nossos olhares se reencontrarão e nossos lábios se unirão em um beijo apaixonado, guardo com carinho cada lembrança para acalmar a minha alma inquieta e trazer um sorriso aos meus lábios. Aguardo tua próxima carta com carinho!

Com amor e saudade!
Wanda ROP.